Christelle Beneytout

Guide de

Couture
à la **machine**
à **coudre**

EYROLLES

Sommaire

Avant-propos

Depuis le milieu du XIXe siècle, époque à laquelle elle est apparue, la machine à coudre a beaucoup changé. Rappelez-vous les machines à coudre à pédalier ou à manivelle de nos grand-mères… Depuis elles sont devenues électriques, et aujourd'hui électroniques. Avant les années 1950, les machines ne proposaient que le point droit, désormais elles nous offrent des centaines de points de couture différents. Elles cousent les boutons, font des broderies, possèdent tout un tas d'accessoires, piquent n'importe quel tissu… De quoi ne pas savoir où donner de la tête !

De ce constat est née l'idée de cet ouvrage : comment aider les utilisateurs à maîtriser vite et facilement leur outil, répondre à des questions telles que : «À quoi sert ce pied presseur ? Dans quel cas utiliser tel point ?» Ce livre n'est pas un manuel de montage de vêtement, c'est un guide pour savoir quel élément ou fonction de la machine à coudre utiliser et à quel moment. Aujourd'hui nous avons à disposition de nombreux accessoires, livrés avec la machine ou optionnels : vous trouverez dans cet ouvrage leur mode d'utilisation et des idées d'applications pour vos projets.

J'ai conçu ce livre pour toutes les couturières, que vous soyez débutante ou plus expérimentée : cet ouvrage a pour but de vous guider à chaque nouveau projet dans les réglages de votre machine à coudre et ainsi de vous faire gagner du temps, pour vous donner toujours plus de plaisir à coudre. Dans cet ouvrage, vous trouverez beaucoup de conseils, beaucoup de techniques : vous allez les essayer petit à petit, vous les approprier et les faire vôtres. Ce livre est là pour vous aider à connaître et à utiliser VOTRE machine à coudre, au maximum de ses possibilités, et pour vous accompagner quand vous déciderez de vous engager dans de nouvelles aventures textiles. Vous serez sans doute surprise en découvrant tout ce qu'il est possible de faire avec une machine à coudre de base. Car ce livre concerne toutes les machines à coudre électriques, qu'elles soient mécaniques ou électroniques, et quelle que soit leur marque.

Laissez-vous guider et tirez le meilleur parti de votre machine à coudre.

Bonne lecture et bonne couture !

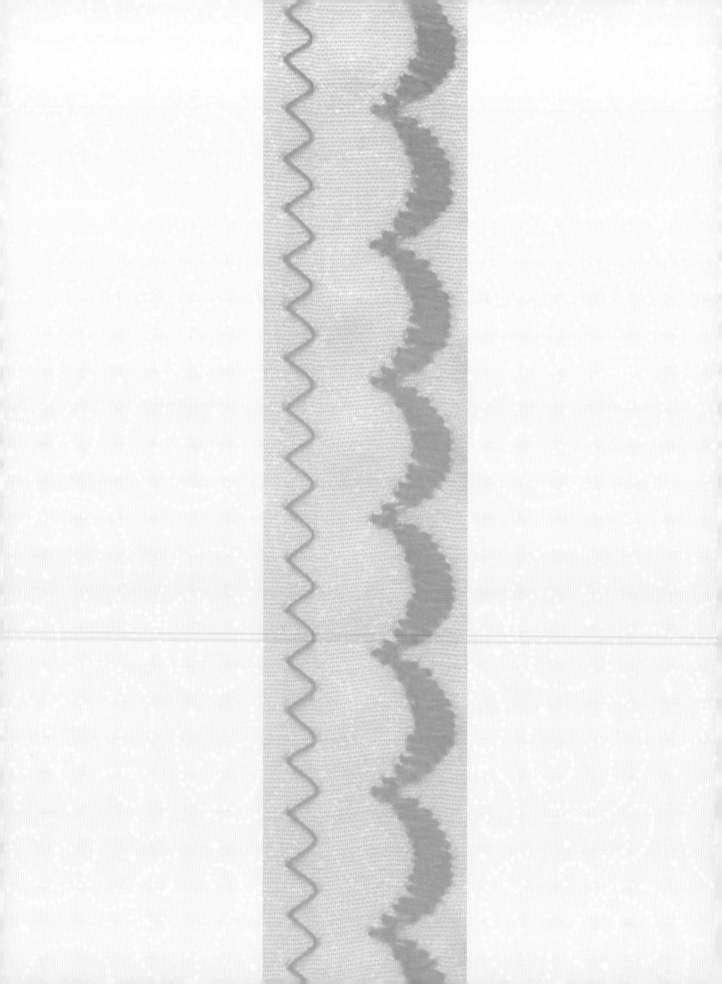

Le matériel de couture

Coudre à la machine nécessite de choisir une machine adaptée et d'apprendre à la connaître, puis de décider des accessoires utiles. Aiguilles, fils, tissus et entoilages viennent compléter les éléments dont vous aurez besoin pour tout projet de couture.

Machine à coudre

Anatomie d'une machine à coudre

Ce livre concerne les machines à coudre électriques, c'est-à-dire celles qui nécessitent d'être reliées au circuit d'alimentation électrique, qu'elles soient mécaniques ou électroniques.

Quels que soient leur type ou leurs capacités, elles ont toutes en commun les éléments suivants, situés aux mêmes endroits et ayant les mêmes fonctions.

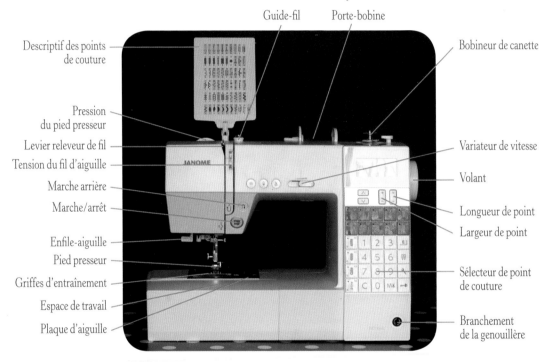

Guide-fil Porte-bobine

Descriptif des points de couture

Bobineur de canette

Pression du pied presseur

Levier releveur de fil

Tension du fil d'aiguille

Marche arrière

Marche/arrêt

Variateur de vitesse

Volant

Longueur de point

Largeur de point

Enfile-aiguille

Pied presseur

Griffes d'entraînement

Espace de travail

Plaque d'aiguille

Sélecteur de point de couture

Branchement de la genouillère

Une machine à coudre et les différentes parties qui la composent.

Le **porte-bobine** accueille la bobine de fil qui sert de fil d'aiguille. Selon les modèles de machines à coudre, il peut être vertical ou horizontal.

Le **guide-fil** du fil de canette sert aussi de disque de tension au fil de canette ; son utilisation permet de bobiner correctement une canette.

Le **bobineur de canette** permet d'enrouler du fil sur une canette.

Le **variateur de vitesse** (ou régulateur de vitesse) permet de contrôler la vitesse de piqûre de la machine à coudre, de lent à rapide : il existe seulement sur les machines électroniques. Sur les machines à coudre mécaniques, seule la pédale permet de contrôler la vitesse de piqûre.

Le **sélecteur de point** permet de choisir le point de couture à réaliser. Une petite plaque décrivant les différents points que propose la machine à coudre permet de les choisir aisément.

Le sélecteur de **largeur de point** permet de faire varier l'écartement d'un point zigzag ou de tout autre point large. La largeur de point va jusqu'à 4 à 5 mm sur les machines mécaniques, mais peut atteindre 9 mm sur les machines électroniques haut de gamme. Le sélecteur permet aussi, sur un grand nombre de machines, de déplacer l'aiguille latéralement : il est ainsi possible de piquer un point droit complètement à gauche du pied presseur.

Le sélecteur de **longueur de point** permet de faire varier la distance entre deux piqûres d'un point droit. La longueur de point peut être de 4 mm maximum sur les machines mécaniques, et aller jusqu'à 7 mm sur des machines très perfectionnées.

Le bouton de réglage de la **pression du pied presseur** sert à augmenter ou diminuer la pression exercée par le pied presseur sur le tissu, pression qui doit être plus forte pour un tissu épais et plus légère pour un tissu fin. Certaines machines perfectionnées règlent automatiquement ce paramètre.

Le **levier releveur du fil** contrôle la quantité de fil nécessaire à la couture ; il se lève et s'abaisse en même temps que l'aiguille, car il est synchronisé avec cette dernière, tout comme les griffes d'entraînement.

Le levier releveur du fil et la molette permettant de régler la tension exercée sur le fil d'aiguille.

La molette de réglage de la **tension du fil d'aiguille** permet d'ajuster la tension exercée sur le fil d'aiguille pour obtenir des points de couture bien équilibrés.

En appuyant sur le bouton de **marche arrière**, l'aiguille va « revenir sur ses pas ».

Le plateau de couture ou **espace de travail** est la partie de la machine à coudre qui reçoit le tissu à coudre, il entoure la plaque d'aiguille. Plus il est spacieux, plus la couture est confortable.

Le **coupe-fil** permet de couper les fils d'aiguille et de canette sans avoir recours à une paire de ciseaux.

La **poignée** sert à transporter la machine à coudre facilement.

Sur cette machine à coudre mécanique, la sélection des points et de leurs longueur et largeur se fait en tournant les molettes.

Volant

Équilibrage (présent sur les machines haut de gamme)

Interrupteur d'alimentation

Connecteur de la pédale

Branchement du cordon d'alimentation

Levier d'escamotage des griffes d'entraînement

Vue arrière d'une machine standard.

Le **volant** sert à faire descendre puis remonter l'aiguille sans avoir à utiliser la pédale.

Les prises de branchement de la pédale et du cordon d'alimentation se situent généralement sous le volant de la machine à coudre. L'**interrupteur d'alimentation**, qui permet d'allumer et d'éteindre la machine à coudre, se trouve souvent à proximité.

La fonction **équilibrage** est surtout présente sur les machines haut de gamme (voir son utilité page 256).

Le **levier d'escamotage des griffes d'entraînement** fait disparaître les griffes sous la plaque d'aiguille.

Les **guide-fils** guident le fil destiné à l'aiguille depuis la bobine jusqu'au chas de l'aiguille.

Le **levier du pied presseur** sert à abaisser ou relever le pied-de-biche (ou pied presseur).

Le **pince-aiguille** accueille l'aiguille ; c'est une vis qui maintient l'aiguille dans le pince-aiguille. Pour changer l'aiguille, il faut dévisser cette petite vis, qui libère alors l'aiguille en place.

L'**aiguille** réalise la couture en conduisant le fil dans le tissu. L'**enfile-aiguille** permet de faciliter l'enfilage du fil dans le chas de l'aiguille. Il se généralise sur les machines à coudre et consiste en un petit crochet qui traverse le chas de l'aiguille et attrape le fil en se rétractant.

Le pied-de-biche ou **pied presseur** a pour rôle de maintenir le tissu sur les griffes d'entraînement.

Le support de pied presseur ou **porte-pied** permet de fixer le pied presseur. Le système de fixation varie selon les marques : ce peut être par clip, par pression ou encore par vis que l'on ôtera le pied presseur pour le remplacer par un autre.

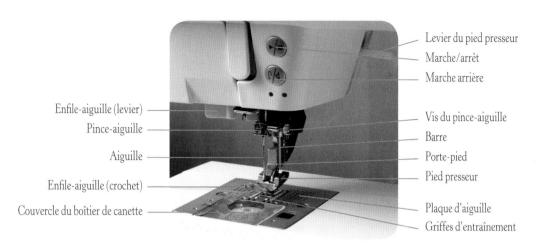

Levier du pied presseur
Marche/arrêt
Marche arrière

Enfile-aiguille (levier)
Pince-aiguille
Aiguille
Enfile-aiguille (crochet)
Couvercle du boîtier de canette

Vis du pince-aiguille
Barre
Porte-pied
Pied presseur
Plaque d'aiguille
Griffes d'entraînement

Détail des fonctions autour du pied presseur.

La **plaque d'aiguille**, le plus souvent en métal, est pourvue d'ouvertures qui laissent passer les griffes d'entraînement ainsi que l'aiguille. Cette plaque comporte des gravures, réalisées à des distances bien précises, qui vous aideront à piquer droit (voir page 59).

Les **griffes d'entraînement** sont de petites dents placées sous la plaque d'aiguille, qui la traversent quand elles remontent pour attraper le tissu et le déplacer. Ces griffes fonctionnent d'avant en arrière. Elles sont synchronisées avec le pied presseur : ces deux éléments coincent le tissu et permettent son déplacement. Sur la plupart des machines, les griffes d'entraînement peuvent être abaissées en appuyant sur une commande ou bien bloquées par une petite plaque, appelée le plus souvent plaque à repriser (voir chapitre 7 page 245).

Devant les griffes d'entraînement se trouve le couvercle du **boîtier de canette** : cette petite plaque, qui peut être transparente, s'ouvre pour laisser voir le boîtier de canette. Parfois vous trouverez un schéma explicatif sur le couvercle, qui vous guidera dans l'installation de la canette.

Si la machine possède un boîtier de canette vertical, une capsule en métal accueille la canette. Puis vous insérez capsule et canette dans le boîtier de canette.

13

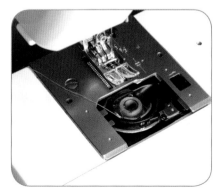

Boîtier de canette horizontal garni d'une canette.

Boîtier de canette vertical d'une machine à coudre mécanique, avec la canette installée.

Outils et accessoires

La **canette** de la machine à coudre ressemble à une petite bobine, elle peut être en métal ou en plastique. Logée sous la plaque d'aiguille, elle constitue la réserve de fil de dessous, de fil inférieur.

Selon les marques et les modèles de machine, les canettes diffèrent : utilisez bien les canettes qui correspondent à votre machine afin de ne pas endommager cette dernière.

Canettes en métal et en plastique, incompatibles pour une même machine.

Disposer de canettes en nombre suffisant

Il peut être utile d'acquérir des canettes supplémentaires, surtout si vous avez l'habitude de coudre plusieurs projets en même temps. Cela permet d'avoir des canettes vides à disposition, sans avoir à en dévider une.

Une machine à coudre est vendue avec un certain nombre d'accessoires, on disposera au minimum de quelques canettes, d'un découd-vite, d'une petite brosse de nettoyage, d'un jeu d'aiguilles et d'une fiole de lubrifiant.

Comme son nom l'indique, le **découd-vite** permet de découdre facilement et rapidement des points de couture. Il s'utilise aussi pour ouvrir les boutonnières.

La machine compte aussi plusieurs **pieds presseurs**, au moins un pied presseur standard (multifonction, qui permet de réaliser le point droit et le point zigzag), un pied pour fermeture Éclair, un pied pour points fantaisie et un pied pour boutonnière. Il existe beaucoup d'autres pieds presseurs ; chacun présente une largeur de semelle spécifique, certains une rainure sous le pied, d'autres des repères pour faciliter la couture… Ces pieds presseurs seront présentés, en fonction des techniques de couture qu'ils permettent de réaliser, dans les chapitres qui suivent.

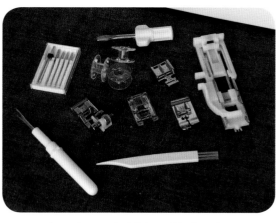

Accessoires standard de la machine à coudre.

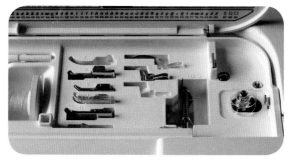

Les machines à coudre disposent de petits emplacements bien conçus pour ranger leurs accessoires : casiers le long du bras libre ou, comme ici, boîtier sur le dessus de la machine.

D'autres accessoires peuvent accompagner votre machine à coudre :

• Toutes les machines ne disposent pas d'un **bras libre**, c'est pourtant un élément très intéressant. Il facilite les coutures tubulaires (ourlets de jambe, poignet, ceinture, etc.). Une partie de l'espace de travail se retire, laissant juste l'espace autour de la plaque d'aiguille pour coudre.

Bras libre.

• La **table d'extension** (aussi appelée plateau rallonge) vient prolonger l'espace de travail de la machine à coudre. Le plus souvent, il faut retirer le plateau de couture et faire apparaître le bras libre, autour duquel vient se clipser la table d'extension. Celle-ci est pratique quand on travaille des projets volumineux (plaid en patchwork, manteau, linge de maison…) ou glissants (robe de soirée, vêtement en viscose, etc.). Elle agrandit l'espace de travail et supporte le poids du projet.

Table d'extension.

• La **genouillère** est une barre métallique en forme de U qui descend à hauteur de votre genou et vous permet d'abaisser et de relever le pied presseur en poussant simplement l'extrémité de cette barre vers la droite grâce à votre genou ou votre cuisse. Elle apporte du confort à la couture : les mains n'ont plus qu'à gérer le tissu, sans intervenir sur le levier du pied presseur. La genouillère se fixe sur le devant de la machine à coudre, au niveau du plot de branchement de la genouillère. Amovible, elle peut être retirée si elle n'est pas utilisée ou pour transporter la machine à coudre.

Genouillère.

Principe

Le principe de fonctionnement d'une machine à coudre est le suivant : le moteur abaisse puis relève l'aiguille continuellement, tout en actionnant les griffes d'entraînement et le système de la canette. C'est cet ensemble d'actions synchronisées qui réalise la couture sur le tissu.

L'aiguille descend le fil d'aiguille au niveau de la canette, et une petite boucle se crée au moment où l'aiguille commence à remonter. Cette boucle passe par le logement de canette, s'entrecroise avec le fil de canette et forme alors un point de couture. À chaque point de couture, les griffes entraînent le tissu un peu plus loin, et la même suite d'actions se répète jusqu'à ce que la couture cesse. Le même processus s'opère quel que soit le point de couture choisi (point droit, zigzag, etc.).

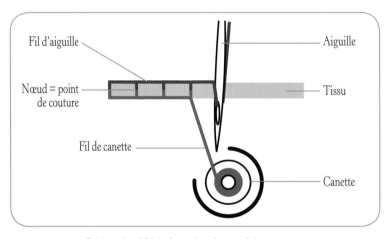

Schéma simplifié de formation du nœud de couture.

Le moteur est actionné par pression sur une pédale : plus on appuie fort, plus la machine coud vite. La vitesse des griffes d'entraînement est synchronisée avec celle de l'aiguille, en fonction de l'ordre transmis par la pédale.

L'utilisation de la pédale

Pour appuyer correctement sur la pédale, placez cette dernière sous votre pied (généralement le pied gauche pour les gauchers, le droit pour les droitiers) et posez votre talon au sol : seul l'avant du pied doit appuyer sur la pédale.

En tournant le volant de la machine à coudre, on obtient le même résultat qu'en appuyant sur la pédale (mais à une moindre vitesse, bien entendu) : l'aiguille, les griffes et le releveur de fil se mettent à bouger. Actionnez toujours le volant vers vous, c'est-à-dire dans le sens inverse des aiguilles d'une montre. Le faire tourner dans l'autre sens risque d'emmêler les fils de canette et d'aiguille sous la plaque d'aiguille.

Les différents points de couture

Les points de couture de base de la machine à coudre sont le point droit et le point zigzag (voir page 70 et page 92). Ces deux points servent à la construction des autres points que propose votre machine à coudre.

Selon les machines à coudre, l'offre de points de couture varie beaucoup : une machine mécanique permet la couture d'une vingtaine de points, alors qu'une machine électronique haut de gamme en proposera plusieurs centaines.

Parmi les points de couture, distinguez les points de coutures utilitaires (point droit, point zigzag, point de couture invisible, boutonnière, etc.) et les points fantaisie (point de satin, point de broderie à jour, point de patchwork), répertoriés en annexes (voir page 260).

Les différents points de couture sont abordés au cours du livre, en fonction des tissus et des techniques de couture pour lesquels ils sont utilisés.

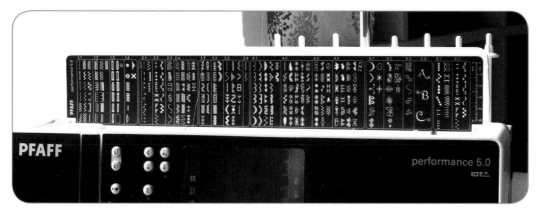

Tous les points de couture proposés par cette machine à coudre sont représentés sur l'intérieur du capot : nul besoin de se référer à la notice pour faire son choix.

Types de machines à coudre

Aujourd'hui votre choix peut se porter sur des machines dites mécaniques ou bien des machines électroniques. Nous passons ici en revue leurs principales spécificités afin de vous guider dans votre choix.

Machines mécaniques

Sur les machines mécaniques, la sélection du point que l'on souhaite coudre, puis le choix de sa longueur et éventuellement de sa largeur, se fait par des sélecteurs rotatifs. Une machine à coudre bon marché vous proposera les points de couture de base, dits utilitaires (voir encadré page 18) et ces points seront bien souvent prédéfinis, c'est-à-dire que vous ne pourrez pas ou peu les modifier en longueur ou en largeur.

Machine mécanique de la marque Janome.

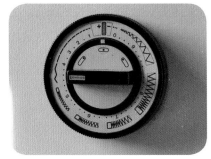

Le sélecteur de cette machine à coudre Pfaff permet de choisir le type de point et sa longueur. Au centre, un second sélecteur permet de choisir la position de l'aiguille (à droite, centrée ou à gauche).

Certaines machines mécaniques de milieu de gamme offrent la possibilité de déplacer à sa convenance l'aiguille de gauche à droite – et, comme nous le verrons tout au long de cet ouvrage, pouvoir positionner l'aiguille latéralement est un réel avantage pour le confort de la couturière. En général, par rapport à un modèle électronique équivalent, l'offre en points de couture ainsi que les fonctions sont plus limitées. En outre, c'est à vous de gérer les différents réglages de la machine pour obtenir un point de couture équilibré (voir page 55).

Ce sont des machines simples à utiliser et faciles d'entretien. Avec des soins réguliers et appropriés (voir page 255) vous conserverez longtemps votre machine en parfait état. Robustes, elles sont parfois beaucoup plus lourdes que les machines électroniques, par conséquent il n'est pas toujours aisé de les déplacer. Pensez-y si votre machine à coudre n'a pas sa place attitrée dans la maison : la sortir à chaque fois que vous souhaitez coudre peut devenir problématique si elle s'avère trop lourde.

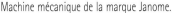

Les points de base

Le point droit, le point zigzag, quelques points de surfilage, un point d'ourlet invisible, un point de tricot extensible et un point de boutonnière sont les points indispensables que doit posséder votre machine à coudre.

Machines électroniques

Ces machines sont équipées de puces électroniques qui ont pour but de faciliter la gestion de la machine à coudre. Par exemple, vous sélectionnez un point de couture et la machine indique automatiquement les réglages à choisir, voire procède elle-même au préréglage des tensions, de la largeur et de la longueur du point de couture afin que celui-ci soit équilibré. Reste à faire un essai de couture sur une chute de tissu pour vérifier que les réglages conviennent. La plupart du temps ces réglages par défaut sont modifiables.

Machine électronique de la marque Pfaff.

Plus la machine est sophistiquée, plus elle gère de paramètres : tension du fil d'aiguille, pression du pied presseur, adaptation de la tension si vous utilisez une aiguille double. Un petit écran vous aide dans le choix du point de couture et des réglages qu'il nécessite.

Les machines à coudre électroniques proposent des fonctions telles que la position haute ou basse de l'aiguille, le coupe-fil, le point d'arrêt, l'enregistrement des réglages d'un point ou d'une séquence de points. Grâce à toutes ces facilités, la couture est plus confortable.

En appuyant sur la touche **point d'arrêt**, la machine effectue le nœud entre le fil de canette et le fil d'aiguille sur l'envers du tissu, en cousant plusieurs points sur place. Il ne vous reste plus qu'à appuyer sur la touche **coupe-fil** et les fils d'aiguille et de canette sont coupés à quelques millimètres du nœud, toujours sur l'envers du tissu. En activant la **position basse de l'aiguille**, vous demandez à la machine de laisser l'aiguille plantée dans le tissu, même quand vous arrêtez de coudre. Elle ne remonte qu'au moment où vous appuyez à

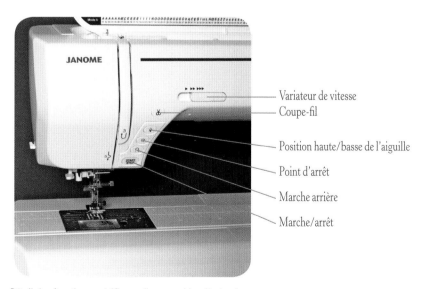

Variateur de vitesse
Coupe-fil

Position haute/basse de l'aiguille

Point d'arrêt

Marche arrière

Marche/arrêt

Détail des fonctions spécifiques d'une machine électronique.

nouveau sur la touche, ou quand vous effectuez le point d'arrêt ou encore quand vous demandez à ce que la machine coupe les fils. C'est une fonction très appréciable car elle permet de soulever le pied presseur sans que le tissu ne bouge (puisqu'il reste maintenu par l'aiguille).

Le **variateur de vitesse** permet de coudre plus ou moins vite, selon la technique utilisée : pour les coutures précises et minutieuses, choisissez une vitesse lente ; pour de grandes longueurs de tissu, cousez à la vitesse maximale. Le variateur régit la vitesse de couture, que l'on utilise la pédale ou le bouton marche-arrêt pour coudre.

Enfin, le **bouton marche-arrêt** permet de ne pas utiliser la pédale de la machine, car il la remplace. La machine coud en fonction de l'ordre passé à ce bouton : c'est une fonction idéale pour la réalisation de boutonnières automatiques (la machine s'arrête quand elle a fini), de barrettes, de broderies ou encore pour coudre de très grandes longueurs de tissu. Je conseille également cette fonction aux couturières susceptibles de ressentir des douleurs musculaires ou articulaires à force d'appuyer longtemps sur la pédale de la machine à coudre.

Mon conseil

Ma préférence va aux machines électroniques : à l'image des smartphones et autres tablettes, ces machines à coudre allient facilité et complexité, profusion et précision. Attention toutefois : la couturière est assistée mais doit bien connaître les nombreuses fonctionnalités de sa machine.

Les machines électroniques permettent également une couture plus précise, sont plus silencieuses et offrent un choix plus vaste de points de couture. Cependant, avoir à disposition un grand nombre de points de couture fantaisie n'est pas toujours très utile. Il vaut mieux parfois investir dans une machine plus robuste même si son offre de points de broderie est plus restreinte.

Avec les machines très haut de gamme, véritables Rolls-Royce de la couture, un **assistant** vous guide et en fonction du point de couture sélectionné, il indique le pied presseur à utiliser, règle les tensions, préconise la valeur de pression du pied presseur quand il ne la règle pas lui-même. Il vous alerte lorsque la canette est presque vide, pour que vous ne soyez pas à court de fil de canette en plein travail.

Les dernières machines électroniques mises sur le marché proposent des points de couture pouvant atteindre 9 mm de large, des aides à la couture comme le double entraînement intégré ou encore la possibilité de disposer d'une plaque point droit en un clic. La machine électronique Pfaff ci-contre ne possède pas de levier du pied presseur : lorsque vous commencez à appuyer sur la pédale, le pied presseur s'abaisse et la couture commence. Une touche permet toutefois de gérer à sa guise le pied presseur. De plus, quand le mode « position basse de l'aiguille » est activé, l'aiguille reste plantée dans le tissu lorsque la couture s'arrête et le pied-de-biche se soulève de quelques millimètres, juste ce qu'il faut pour pouvoir bouger le tissu, dans une courbe ou un angle par exemple. Par conséquent, la genouillère devient secondaire sur cette machine. Ce type de technologie apporte beaucoup d'aisance à la couture.

La stabilité, un atout pour la couture

Le poids d'une machine est un élément que je vous conseille de prendre en compte, que vous souhaitiez acquérir une machine mécanique ou électronique. Plus la machine sera lourde, plus elle sera stable et vous permettra de réaliser une couture fiable, quelles que soient les épaisseurs de tissu que vous lui demanderez de coudre. La machine doit toutefois être adaptée à l'usage que vous en ferez : comme nous l'avons précisé plus haut, avoir à la déplacer souvent peut vous décourager de coudre !

L'écran tactile de cette machine à coudre haut de gamme de la marque Pfaff guide dans les réglages du point de couture choisi ; les réglages présélectionnés par l'assistant peuvent être modifiés : emplacement du point par rapport au pied-de-biche, largeur et longueur du point, tension du fil. Le pied presseur à utiliser est indiqué en haut à gauche de l'écran.

Choisir une machine

Principaux critères à prendre en compte

Le schéma ci-dessous peut aider à cerner vos besoins et à définir la machine qui vous convient, en fonction de votre rythme d'utilisation et des projets que vous souhaitez coudre. Il est synthétique, donc réducteur, le but étant de proposer une vision d'ensemble de l'offre de machines à coudre.

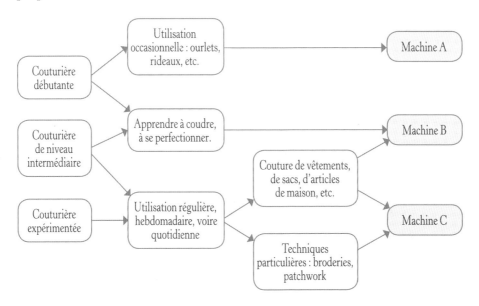

La **machine A** est une machine mécanique, basique mais robuste et peu onéreuse ; elle propose des points de couture de base (point droit, point zigzag, boutonnière en quatre étapes, voire en une seule). Elle convient aux personnes qui débutent ou qui ne souhaitent réaliser que des travaux de couture très occasionnels (réparations, ourlets, ameublement…). Elle est peu évolutive, ne pouvant pas toujours être complétée ultérieurement par des accessoires. Elle nécessite le réglage manuel des différents paramètres des points de couture (largeur, longueur, tension, etc.). Veillez à choisir une machine facile à enfiler, avec un minimum de pieds presseurs, et pour laquelle vous pouvez changer la position latérale de l'aiguille.

La **machine B** convient aux couturières qui veulent apprendre et progresser : plutôt électronique, elle offre de nombreux points de couture, différentes fonctions (boutonnière automatique, points de broderie, etc.) et accessoires. Elle peut être complétée par différents pieds presseurs. Elle permet de réaliser des vêtements, des accessoires mais aussi de la couture d'ameublement.

La **machine C** est une machine électronique sophistiquée, destinée aux couturières déjà averties ; elle offre un large choix de pieds presseurs et autres accessoires, ainsi que beaucoup de points de couture différents. C'est une machine très confortable à utiliser, dotée d'un grand écran tactile, d'un éclairage sophistiqué et d'un large espace de travail. Elle permet de réaliser les techniques de patchwork, de quilting mais aussi de broderies à la machine à coudre. Choisissez-la avec un châssis lourd et un système électronique de qualité. Ce type de machine permet une grande personnalisation et une grande créativité : si vous aimez les monogrammes, son ordinateur intégré vous permet d'inventer des points de broderie et des enchaînements de points.

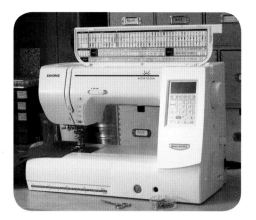

Machine électronique haut de gamme de la marque Janome.

Prenez également en compte vos envies : habillement, décoration, patchwork, broderie… Ce sont vos désirs créatifs qui vont vous guider dans le choix d'une machine à coudre.

Acheter une machine à coudre d'occasion

Il est tout à fait possible de choisir une machine à coudre d'occasion, chez les revendeurs qui reconditionnent les anciennes machines ou auprès de particuliers via les petites annonces. Pour vous assurer du bon fonctionnement de la machine, demandez à en essayer les différentes fonctionnalités avant de vous décider.

Autres critères pour bien choisir

Une bonne machine à coudre est dotée d'un **moteur puissant**, qui permette de coudre les épaisseurs de tissus sans encombre. Cette puissance se traduit par la vitesse de couture de la machine. En dessous de 600 points par minute, la machine aura des difficultés avec les épaisseurs multiples ou les tissus épais et denses. Une très bonne machine haut de gamme propose une vitesse de couture d'au moins 1 000 points par minute et plus.

Un autre détail important concerne l'**installation de la bobine de fil** (voir page 48), qui peut être verticale ou horizontale. Préférez une machine où la bobine est placée à l'horizontale : le fil se dévide mieux, sans à-coup.

Mon conseil

Dressez la liste des caractéristiques qui sont primordiales pour vous, des éléments que la machine doit absolument posséder. Allez essayer plusieurs modèles, de différentes marques, dans les boutiques des revendeurs et sur les salons. Emportez des échantillons des tissus que vous aimez coudre et testez les machines avec.

Prenez en compte le **poids** et l'**encombrement** de la machine si vous devez la transporter, pour aller à un cours de couture par exemple : les machines de plus de 10 kg sont difficiles à déplacer.

Enfin, le **variateur de vitesse** de couture n'est selon moi pas un gadget. Cette fonction peut être utile, surtout aux débutantes, voire aux enfants. La vitesse de couture étant bloquée, vous pouvez appuyer à fond sur la pédale, la machine ne dépassera pas la vitesse fixée par le variateur. C'est idéal pour apprendre à maîtriser sa machine à coudre.

Mon conseil

Testez les différents points de couture qu'offre votre nouvelle machine sur un même morceau de tissu. Conservez-le pour y jeter un coup d'œil à chaque fois que vous voudrez réaliser un point fantaisie : entre le dessin mentionné sur la machine ou la notice et le point de couture réellement obtenu, il y a parfois de grandes différences !

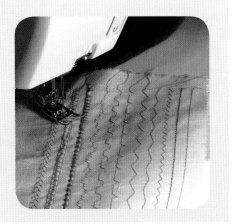

Débuter avec méthode

Une fois votre machine à coudre arrivée chez vous, lisez attentivement le manuel d'utilisation et, le cas échéant, regardez le DVD d'instructions. Repérez tout de suite quel type de maintenance sera nécessaire (voir page 255) et faites connaissance avec les accessoires et différents pieds presseurs proposés.

Accessoires de couture

Aiguilles

L'aiguille est un élément essentiel de la machine à coudre : la qualité du travail dépend de l'aiguille que vous choisissez pour l'exécuter. C'est un outil de grande précision, dont les caractéristiques changent selon l'usage auquel elle est destinée.

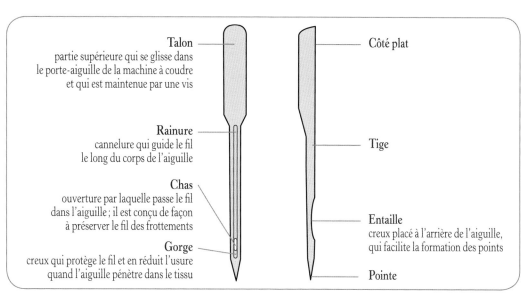

Talon	Côté plat
partie supérieure qui se glisse dans le porte-aiguille de la machine à coudre et qui est maintenue par une vis	
Rainure	Tige
cannelure qui guide le fil le long du corps de l'aiguille	
Chas	
ouverture par laquelle passe le fil dans l'aiguille ; il est conçu de façon à préserver le fil des frottements	Entaille
	creux placé à l'arrière de l'aiguille, qui facilite la formation des points
Gorge	
creux qui protège le fil et en réduit l'usure quand l'aiguille pénètre dans le tissu	Pointe

Schéma d'une aiguille (de face et de profil).

Les aiguilles pour machines à coudre existent en différentes tailles, de la plus petite (60, qui correspond à 0,6 mm de diamètre) à la plus grande (110, voire 120) ; elles doivent être adaptées au tissu cousu. Un tissu léger est un tissu dont le tissage est fin, tout comme le sont les fils qui le composent. Une aiguille fine (de petite taille) convient à un tissu fin, une aiguille épaisse (de grande taille) à un tissu lourd et épais. Lorsqu'une aiguille trop grosse est utilisée avec un tissu fin, l'aiguille casse les fibres et laisse des trous. La taille d'une aiguille est gravée sur son talon : avant de l'utiliser, vérifiez la taille de votre aiguille, car il n'est pas toujours aisé de distinguer une taille 80 d'une taille 70.

Lire les inscriptions sur la boîte d'aiguilles

Une boîte d'aiguilles fait figurer différentes informations : en lettres sont précisés la marque et le type d'aiguille. Le type d'aiguille est repris sous forme de code (ici sur cette photo, 15 x 1H). À gauche du type d'aiguille est indiqué le système d'aiguille. La notice de votre machine à coudre fait référence au système utilisé par la machine. Aujourd'hui, la plupart des machines à coudre modernes utilisent des aiguilles du système 130/705H (les machines industrielles fonctionnent avec un autre système). Enfin, la taille des aiguilles est donnée en tailles européennes et américaines (dans cet ouvrage nous utiliserons seulement les tailles européennes, soit de 60 à 120).

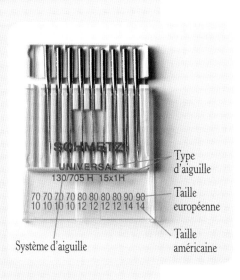

Type d'aiguille

Taille européenne

Taille américaine

Système d'aiguille

Hormis l'épaisseur du tissu, il convient également d'adapter l'aiguille à la matière que l'on travaille. Une aiguille universelle convient pour les tissus courants, mais dès que votre projet utilise un textile spécial (comme le jean, le jersey) ou requiert une technique particulière (matelassage, surpiqûre double, broderie), il faut utiliser une aiguille adéquate pour obtenir un résultat satisfaisant.

Voici les principales aiguilles :

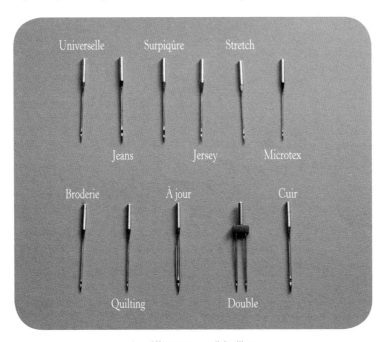

Les différents types d'aiguilles.

Les aiguilles standard, aussi nommées universelles, sont les plus courantes. Elles sont utilisées avec du fil de coton ou du fil polyester pour coudre les tissus tissés classiques. Elles sont disponibles dans de nombreuses tailles. Toute machine est livrée avec au moins un jeu de ce type d'aiguilles. En fonction de vos envies et de vos projets, vous pourrez être amenée à utiliser des aiguilles jeans, des aiguilles microtex, des aiguilles à cuir, des aiguilles à broder, etc. Leurs pointes comme leur chas diffèrent, puisqu'on attend d'elles des compétences différentes.

Les aiguilles jeans et microtex ont une pointe particulièrement acérée, alors que l'aiguille jersey possède une pointe arrondie, bien plus arrondie que l'aiguille stretch.

Les chas sont proportionnels à la grosseur de l'aiguille, puisque par exemple une aiguille de taille 100 est prévue pour accueillir un fil épais.

De plus, les chas des aiguilles à broder ou destinées aux fils métalliques sont conçus spécifiquement pour minimiser les frottements, car ces fils sont plus délicats et cassent plus facilement.

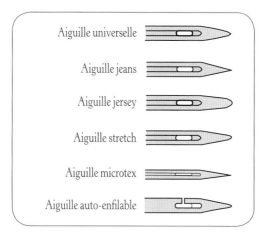

Aiguille universelle	
Aiguille jeans	
Aiguille jersey	
Aiguille stretch	
Aiguille microtex	
Aiguille auto-enfilable	

Formes d'aiguille les plus courantes en couture.

Si votre machine à coudre ne propose pas l'enfilage automatique pour le fil d'aiguille, l'aiguille à enfilage facile possède un chas ouvert (voir schéma ci-dessus) qui vous permet un enfilage rapide et aisé.

Les aiguilles s'achètent en boîtes de 5 ou 10, toutes de la même taille ou bien de différentes tailles pour un même type d'aiguille. La taille la plus utilisée est la 80, en particulier en aiguille universelle.

Mon conseil

Pour ne pas les confondre, utilisez le jeu de couleurs qui existe dans certaines marques (bleu pour les aiguilles jeans, jaune pour les aiguilles stretch, etc.). Sinon, pensez à les replacer dans leurs boîtes d'origine pour vous souvenir de leur type, au risque de mélanger aiguilles neuves et utilisées ; pour pallier cet inconvénient, réalisez un petit organisateur d'aiguilles déjà utilisées.

Retrouvez comment réaliser cet organisateur d'aiguilles ici : http://christelleben.blogspot.fr/2013/11/ organisateur-daiguilles-utilisees.html

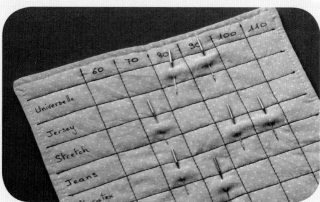

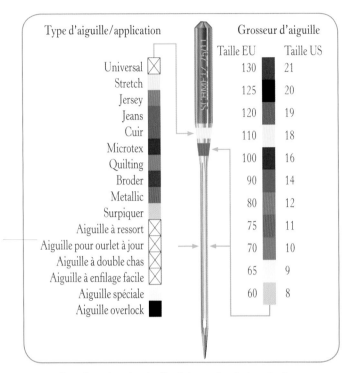

Le code couleur des aiguilles Schmetz, imprimé sur le cône
de l'aiguille : la première couleur identifie l'application,
la seconde la grosseur de l'aiguille.

En 2014, la marque Schmetz améliore la nomenclature de ses aiguilles et les dote d'un code couleur pour la taille comme pour le type de l'aiguille : plus d'erreur possible désormais !

Lorsqu'une aiguille casse, les causes peuvent être multiples, mais bien souvent il suffit de mieux choisir son aiguille, en taille comme en type.

Au fil de cet ouvrage, les aiguilles à utiliser sont indiquées, en fonction des matières et des techniques de couture.

Au cours de la couture, une aiguille s'émousse, se tord légèrement, elle devient alors moins efficace. Les conséquences peuvent être un point de couture très irrégulier, des points sautés ou encore un tissu endommagé. Changez régulièrement vos aiguilles, n'attendez pas qu'elles cassent pour les jeter.

Nécessaire de couture

Pour préparer vos projets de couture, certains outils sont indispensables :

• des outils de mesure : le mètre à ruban, le couturomètre, le réglet aident à établir des repères précis ;

• des outils de marquage : craie de tailleur, feutre effaçable à l'eau ou à l'air, pour indiquer avec précision les repères sur le tissu ;

• des outils de coupe : il faut au minimum des ciseaux de coupe (dits aussi de couturière). Ils possèdent des lames de 16 à 20 cm de long et sont à réserver exclusivement à la découpe des tissus afin de préserver leur tranchant. Des ciseaux ordinaires sont utiles pour couper du papier, les entoilages non tissés et toute autre matière non textile. Les ciseaux à broder, aux lames fines et pointues, sont destinés aux travaux de précision. Plus les lames sont fines, plus la découpe est précise ;

• des épingles, pour assembler les pièces de tissu avant de les piquer. Débarrassez-vous des épingles dès qu'elles sont émoussées ou tordues, leur usage risquerait d'abîmer les tissus ;

• un fer à repasser, compagnon de la couturière, qui facilite le travail de couture et permet d'obtenir des finitions propres et nettes.

Outils complémentaires

Pratiques au quotidien, les accessoires énumérés ici sont utiles mais non indispensables.

Une grande règle de 1 m et une équerre sont utiles pour le dessin des patrons.

Un cutter rotatif et son tapis de découpe sont destinés, entre autres, aux passionnées de patchwork.

Une roulette de marquage et du papier carbone peuvent avantageusement remplacer les ustensiles de marquage classiques, en particulier pour marquer des pinces ou tout autre trait situé à l'intérieur du patron.

Un appareil à biais sert à confectionner soi-même du biais (voir page 120).

Des retourne-biais, épingles à nourrice et passe-lacet facilitent la tâche pour les coulisses et la confection de liens.

Enfin, le coupe-fil – qui reste mon instrument préféré, toujours à côté de la machine à coudre – remplace souvent le ciseau à broder. Pratique et d'un coût modique, il est un compagnon de couture idéal.

Tissus et fils

Tissus, notions de base

Présentation

Le tissu est la matière première de la couture. Strictement, le terme désigne une matière obtenue par tissage, c'est-à-dire entrecroisement de fils ; par extension on l'utilise parfois pour désigner d'autres textiles.

Le tissu, enroulé sur des cartons ou des rouleaux, s'achète par longueur, exprimée en mètres et centimètres : on demandera par exemple 1,60 m de tissu au vendeur. La largeur du tissu s'appelle la **laize**, elle est généralement de 90 cm pour les tissus fins et délicats, et de 1,50 m pour la majorité des tissus. Certaines mailles et certaines toiles peuvent mesurer 1,80 m de laize et jusqu'à 3 m pour les très grandes largeurs de toile à drap.

Les bordures du tissu (celles qui sont bien nettes) sont appelées **lisières**. Les tissus sont constitués de **fils de trame** (qui vont d'une lisière à l'autre) et de **fils de chaîne** (parallèles aux lisières).

Le **droit-fil** est toujours parallèle aux lisières. Le **biais** du tissu est à 45° par rapport au droit-fil ou aux lisières.

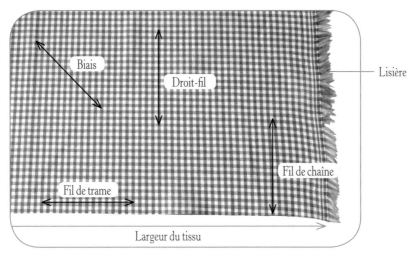

Les sens du tissu.

Familles de tissus

On trouve quatre grandes familles de tissus, selon la nature de leurs fibres :

• fibres naturelles d'origine animale : soie, laine, cachemire…

• fibres naturelles d'origine végétale : coton, lin, chanvre, ramie…

• fibres chimiques issues de la cellulose : la viscose, la rayonne, l'acétate…

• fibres synthétiques pétrochimiques : le polyamide, le polyester, l'acrylique, le polaire, le Lycra (élasthanne)…

Du point de vue du façonnage, on distingue les tissus tissés (des fils de chaîne et des fils de trame se croisent de façon régulière pour créer le tissu) des textiles tricotés, dits mailles, (entrelacement de boucles de fils). Existent également les textiles noués et les matières agglomérées, aussi appelés les non-tissés (feutre, feutrine, triplure…).

Les tissus peuvent recevoir certains traitements (antimite, antitache, imperméabilisation, antiboulochage) et des apprêts qui ont pour but de donner de la tenue au tissu, mais qui doivent parfois être retirés avant toute couture.

L'achat d'un tissu nécessite de réfléchir, au préalable, aux techniques de couture qu'il peut nécessiter et au matériel spécifique (aiguilles, fils, entoilages, etc.) qui est nécessaire.

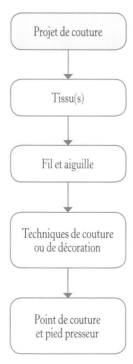

Processus de choix pour un projet donné.

Découpe du tissu

Le patron que vous allez utiliser peut se présenter avec les marges de couture comprises ou non. S'il est «marges de couture non comprises», cela signifie que le pourtour du patron que vous reportez correspond à la ligne de couture. Dessinez alors le pourtour du patron sur le tissu, puis ajoutez une valeur de marges de couture (aussi nommées surplus de couture ou réserves de couture) d'environ 1 ou 1,5 cm. Coupez le tissu en suivant les traits de ces surplus.

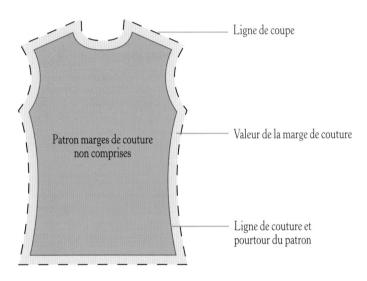

Ligne de coupe

Valeur de la marge de couture

Patron marges de couture non comprises

Ligne de couture et pourtour du patron

Si le patron est proposé «marges de couture comprises», renseignez-vous sur la valeur de cette marge en consultant les explications du patron. Elle est le plus souvent de 1 ou 1,5 cm. En reproduisant le pourtour du patron, vous obtenez directement la ligne de coupe du tissu. Pour connaître la ligne de couture, dessinez une ligne parallèle aux pourtours à l'intérieur du patron, selon la valeur de la marge de couture.

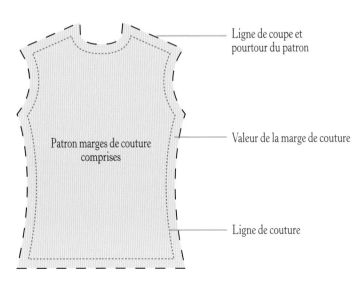

Ligne de coupe et pourtour du patron

Valeur de la marge de couture

Patron marges de couture comprises

Ligne de couture

Préparation du tissu

Faut-il ou non préparer le tissu ? Cette opération varie selon les matières et les projets. Il s'agit de s'assurer, avant couture, que le tissu ne va ni déteindre ni rétrécir. Préparer le tissu, c'est le décatir, c'est-à-dire éliminer l'apprêt qui a été déposé à la surface, en le lavant, en le faisant tremper ou encore en le repassant. Cette opération se réalise surtout sur les tissus en fibres naturelles (cotonnade, lin).

Les tissus haut de gamme, dont les fabricants garantissent la qualité, n'ont pas besoin d'être lavés : leurs couleurs comme leurs dimensions ne bougent pas. Une batiste Liberty peut être cousue sans autre opération qu'un petit coup de fer à repasser pour éliminer les éventuels plis gênant le report du patron.

Pour les tissus dont la provenance est plus hasardeuse, il est préférable d'effectuer un lavage. La règle à retenir est simple : faites subir au tissu ce qu'il subira une fois qu'il aura été transformé. Si le tissu devient un pyjama qui sera lavé à 40 °C en machine et séché sur un fil à linge, faites subir ce traitement au tissu. Pour des essuie-mains confectionnés en nid-d'abeilles et destinés à être entretenus à 90 °C puis séchés au sèche-linge, on infligera au tissu ces mêmes opérations.

Sachez que les matières naturelles (coton, lin et chanvre) rétrécissent alors que les tissus synthétiques ne bougent pas. Ainsi, une cotonnade rétrécit lors d'un lavage à 40 ou 60 °C, tandis qu'un tissu polaire lavé à 40 °C ne change pas de dimensions.

Les textiles élastiques (les mailles, les tissus tricotés comme le jersey, l'interlock, etc.) subissent eux aussi un retrait au lavage et plus encore quand ils sont composés essentiellement de coton.

Décatir à la machine a toutefois ses limites : parfois les tissus foncés mais aussi les lins peuvent marbrer, à cause d'un brassage trop vigoureux dans le tambour de la machine. Préférez alors une nuit de trempage dans une baignoire (le tissu devant être le plus à plat possible).

Un repassage adéquat

Rappelez-vous que repasser pour préparer un tissu à la couture signifie avant tout presser le fer sur la matière posée à plat. Évitez de faire glisser le fer à repasser, au risque d'étirer le tissu, sauf si ce dernier est déformé (voir page 41).

Pour ce qui est des couleurs, méfiez-vous de toutes les couleurs foncées en général et des teintes rouge et violette en particulier. Si la couleur du tissu risque de dégorger, utilisez une lingette du commerce pour absorber le surplus de couleur lors du lavage au lave-linge, ou bien faites tremper le tissu pendant 24 heures dans de l'eau additionnée de vinaigre blanc et de gros sel afin d'éviter que le tissu ne marbre.

Quant au patchwork, il est usuel de coudre les tissus sans les laver au préalable. Une fois assemblé, le patchwork est lavé et s'il y a rétrécissement c'est l'ensemble qui bouge.

Enfin, les tissus qui se nettoient à sec peuvent être humidifiés au moyen d'un chiffon mouillé avant d'être travaillés. Laissez-les sécher à plat avant de les repasser sur l'envers.

Entoilages

Échantillons d'entoilages.

Entoiler consiste à intercaler une épaisseur de matière entre deux épaisseurs de tissu en vue de donner de la tenue à l'élément que l'on travaille, pour l'empêcher de se déformer.

Les entoilages existent en blanc, en noir, et parfois en couleur chair. Différentes épaisseurs sont disponibles et il convient de choisir un entoilage d'une épaisseur légèrement inférieure au tissu que l'on souhaite entoiler. L'entretien de l'entoilage doit être identique à celui du tissu.

Il existe des entoilages tissés et des entoilages non tissés (ces derniers n'ont pas de droit-fil), des entoilages thermocollants et d'autres à coudre.

Quel que soit l'entoilage, dessinez les formes de la pièce à entoiler sur l'entoilage, aux dimensions exactes de la pièce (c'est-à-dire marges de couture exclues), et dans le droit-fil, si l'entoilage en a un. Découpez l'entoilage et placez-le sur le tissu à entoiler. Cousez ou thermocollez le morceau d'entoilage. Votre pièce de patron est entoilée, prête à être utilisée pour votre projet.

D'autres produits appelés entoilages créatifs ou stabilisateurs (bien souvent empruntés au domaine de la broderie machine) sont des aides précieuses car ils facilitent la couture : ils peuvent être temporaires (hydrosolubles ou à déchirer) ou permanents. Nous verrons au fil de ce livre quand et comment utiliser ces entoilages spéciaux.

Fils

Le fil est un élément important dans la couture : il est le gage d'une piqûre réussie s'il est de qualité et si ses propriétés sont adaptées à la couture et au tissu.

Adapter le fil à l'aiguille utilisée et au tissu cousu est primordial. Le fil de machine à coudre est différent du fil utilisé pour la couture à la main ; plus résistant, il est conçu pour être soumis aux tensions que lui inflige la machine à coudre.

Choisir le bon fil consiste tout d'abord à choisir le fil destiné à l'usage que l'on souhaite : couture simple, surpiqûre, broderie, etc. Chaque marque de fil possède différentes gammes de fils selon ces usages. Puis il s'agit de sélectionner la bonne épaisseur de fil : plus le tissu sera épais, plus le fil devra être solide et gros. La taille du fil est exprimée sous forme de numéro : **plus le chiffre est élevé, plus le fil est fin** (un fil n° 50 est un fil d'épaisseur moyenne).

n° 120

n° 100

n° 40

n° 30

Les tailles de fils.

Il existe des fils naturels (en coton, en soie…) et des fils synthétiques (en polyester, en nylon, en viscose…).

N'hésitez pas à acquérir des fils de qualité, quitte à les payer un peu plus cher. Vous éviterez ainsi les mauvaises surprises et passerez moins de temps à régler votre machine pour les utiliser.

La qualité du fil dépend de sa régularité : plus le fil est lisse et régulier, moins il y a de peluches, plus le fil est de bonne qualité. Un fil de bonne qualité ne casse pas et il est facile à utiliser, régler la tension du fil d'aiguille est alors plus aisé.

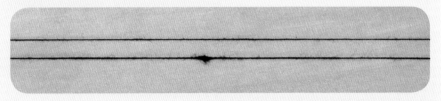

En haut, un fil de très bonne qualité : il est régulier. En bas, un fil de qualité moyenne présentant un amas de matière.

Types de fils et critères de choix

Le choix du fil se fait en fonction de l'usage auquel il est destiné : le fil tous textiles (dit standard) convient à la majorité des coutures de vêtement et d'ameublement léger. Il est en polyester ou en coton.

On choisit habituellement un **fil de coton** pour la couture des tissus fins en fibres naturelles (coton, lin). Facile à se procurer, il est moins solide que son homologue en polyester et ne convient pas à la couture des cuirs. Il existe du fil de coton et du fil de coton mercerisé : préférez le coton mercerisé, plus résistant et plus régulier.

Le **fil polyester** convient à la majorité des projets et des matières, et plus particulièrement à la couture des tissus synthétiques. Résistant et légèrement élastique, il ne rétrécit pas. Il est désormais moins onéreux que le fil de coton. Il supporte très bien d'être cousu à grande vitesse et si vos réglages de machine ne sont pas parfaits cela se verra beaucoup moins avec un fil polyester qu'avec un fil naturel. Toutefois, préférez-lui le fil de coton pour les tissus légers et naturels : la couture au fil polyester est trop résistante pour ce type de matière, qui risque se déchirer sous la tension de la couture qui, elle, ne cédera pas.

Sur la bobine de fil sont inscrites quelques informations : tout d'abord la marque et le nom du produit, sur la partie haute de la bobine (ici, dans notre exemple, il s'agit de fil Métrosène de la marque Amann Mettler), ainsi que sa composition (100 % polyester) et le numéro du produit ; sur la partie basse de la bobine, on peut lire le métrage de la bobine (en mètres et en yards, ici 100 m), l'épaisseur du fil (n° 100) et enfin le numéro de la teinte. Parfois le lieu de production est inscrit (ici « German made »).

36

Bobines de fils de coton mercerisé, fil polyester, fil de soie et fil à surpiquer.

Le **fil à bâtir** est un fil qui se casse facilement puisqu'il sert aux coutures provisoires et à marquer, il doit donc pouvoir être facilement décousu.

Le **fil de soie** est à réserver au travail des tissus délicats en soie et en laine. Il est fin et solide, présente un bel éclat naturel, souvent apprécié en broderie. C'est un fil qui glisse facilement; il peut toutefois être remplacé par un fil polyester, qui sera moins coûteux.

Le **fil à surpiquer** (aussi appelé cordonnet ou extrafort) peut être en soie mais aujourd'hui celui en polyester est devenu le plus courant. Très résistant, son utilisation est réservée aux surpiqûres, boutonnières sur les tissus épais et à la couture des boutons.

Les **fils techniques** (élastiques, invisibles, thermocollants, hydrosolubles, pour smocks, fils canette) ont des utilisations bien précises qui seront détaillées tout au long de cet ouvrage.

Les **fils à broder et fantaisie** (métallisés, dégradés, en rayonne, fluorescents, mousse…) sont nombreux, vous apprendrez à les utiliser dans les chapitres qui suivent.

Différents types de fils à broder.

Les fils fantaisie peuvent être dégradés (plusieurs couleurs composent le fil, à gauche sur la photo) ou ombrés (la teinte du fil varie jusqu'au blanc ou au noir, à droite).

Tableau récapitulatif

Le tableau ci-dessous résume les types et tailles d'aiguille et de fil à utiliser, en fonction du tissu choisi.

Type de tissu	Type d'aiguille	Taille de l'aiguille	Type de fil	Grosseur de fil
Tissu fin naturel ou synthétique, voile, batiste, tulle, organza	Universelle (pointe normale) Microtex (pointe très fine)	60 et 70	Coton, polyester	120 à 100
Popeline, cotonnade	Universelle (pointe normale)	70, 80, 90	Coton, polyester	100 à 60
Denim léger, velours milleraies	Jeans (pointe fine et solide)	80 et 90	Coton, polyester	80 à 60
Denim épais, sergé, gabardine, velours côtelé	Jeans (pointe fine et solide)	100 et 110	Polyester	60 à 40
Lainage fin, tweed	Universelle (pointe normale)	80 et 90	Coton, polyester, soie	80 à 50
Lainage épais, drap, ameublement	Universelle (pointe normale) Jeans si très épais	90 à 110	Polyester	40 et 30
Jersey fin, interlock, sweat-shirt, tricot	Jersey (pointe arrondie)	70, 80, 90	Polyester, fil mousse	100 à 80
Matière très élastique (élastique dans les deux sens), Lycra	Stretch (pointe boule)	75	Polyester, fil mousse	100 à 80
Matière très fine ou très dense, lamé, soie, crêpe, taffetas, microfibre, membrane, toile enduite fine	Microtex (pointe très fine)	60 à 80, voire 90	Soie, polyester	120 à 60
Cuir, similicuir, toile enduite très épaisse, toile cirée épaisse	Cuir (pointe triangulaire, acérée)	80 à 120	Polyester	60 à 30

38

Fils sur différents supports.

Le fil peut être présenté et utilisé sur différents supports : canette, bobine, minicône ou cône. Leur installation est présentée au deuxième chapitre.

Et le fil utilisé dans la canette ? La plupart du temps, utilisez un fil polyester de la même couleur que le fil d'aiguille ou bien un fil neutre (clair ou sombre selon votre tissu), mais plus fin que le fil d'aiguille : le point réalisé se formera plus nettement et tiendra plus longtemps. Pour la réalisation de broderies, remplacez le fil polyester normal par du fil pour canette, utilisé en broderie à la machine à broder (voir page 227).

Comment choisir la couleur du fil ?

Sélectionnez toujours un fil un ton plus foncé que le tissu. Si votre tissu est imprimé et présente de multiples couleurs, choisissez la teinte la plus représentée ou encore la plus foncée.

Couture à la machine et repassage

Le repassage occupe une place importante dans la couture et implique plus que la simple action de faire glisser le fer sur le tissu. Savoir repasser reste un point clé de la réussite de la couture à la machine à coudre.

Le matériel

Un **fer à repasser** (du petit fer de voyage à la centrale vapeur professionnelle en passant par le fer traditionnel) doit toujours avoir une semelle propre et être réglable en température. Il est aussi préférable qu'il puisse projeter de la vapeur d'eau.

Une **table à repasser** ou une nappe de repassage sont les supports essentiels pour repasser confortablement et en toute sécurité.

La **pattemouille** est une pièce de tissu à placer entre la semelle du fer et le tissu à repasser, afin de ne pas lustrer ou abîmer le tissu pendant le repassage. Obligatoire pour les matières délicates, il est préférable de l'utiliser à chaque fois que vous repassez un tissu sur l'endroit. Elle est le plus souvent en coton transparent ou en mousseline, permettant ainsi de voir à travers pendant le repassage.

La **jeannette** est une petite planche à repasser, qui s'utilise pour le repassage des manches et des têtes de manches, mais aussi de tout élément ne pouvant être repassé à plat et trop petit pour que la table à repasser puisse se glisser à l'intérieur.

Le **coussin de repassage** (ou coussin de tailleur) facilite le repassage de toutes les pièces aux volumes arrondis : sa forme bombée permet de repasser les formes en courbe des cols, des épaules, les pinces, les têtes de manches...

Un **vaporisateur d'eau** ou une seconde pattemouille humidifiée à l'occasion complètent cet équipement : ils servent à humidifier uniformément un tissu.

Pendant la préparation du tissu

Si vous avez lavé le tissu pour le préparer avant la coupe et la couture, vous aurez besoin de le repasser pour enlever les éventuels plis et pour redresser les fils de chaîne et de trame, si la structure du tissu a bougé pendant le lavage ou le séchage.

Tout d'abord, vérifiez sur une chute du tissu que ce dernier supporte le repassage et à quelle température. Voici un tableau indicatif des températures convenant aux différentes matières.

Symboles	Tissus	Températures
⊿	Coton, lin, chanvre	180 à 210 °C
⊿	Laine, polyester, batiste, Nylon, soie, rayonne, crêpe, viscose	140 à 180 °C
⊿	Tissu acrylique, microfibre, polyuréthane, mousseline, tulle	80 à 120 °C

Réglage de la température d'un fer domestique lors du repassage.

Pour défroisser un tissu ou pour rétablir la structure d'un tissu tissé, déplacez le fer sans le soulever du tissu. Suivez toujours les lignes de chaîne et de trame du tissu, c'est-à-dire déplacez le fer parallèlement et perpendiculairement aux lisières du tissu.

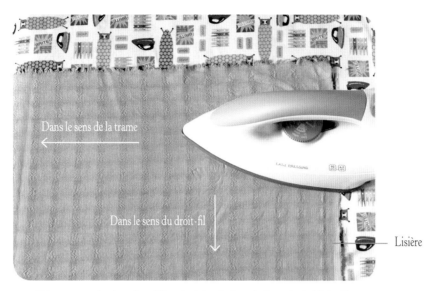

Si la structure du tissu s'est déformée, étirez le tissu de façon à rétablir les fils de trame perpendiculaires au droit-fil.

Pendant les étapes de couture

Après chaque étape de couture, il faut généralement utiliser le fer à repasser avant de passer à l'étape suivant. Dans ce cas-là, ne faites pas glisser le fer sur le tissu, mais déplacez-le en le soulevant.

Le plus souvent, vous devez repasser afin d'ouvrir une couture (voir couture ouverte page 72). Posez d'abord le fer sur la couture que vous venez de faire, les pièces de tissu toujours endroit contre endroit. Fixez ainsi la couture en déplaçant doucement le fer le long de celle-ci (fig. 1).

Fig. 1

Ouvrez ensuite le tissu, l'endroit contre la planche à repasser et l'envers vers vous, et commencez à aplanir les surplus de couture en les écartant l'un de l'autre avec la pointe du fer à repasser, à une des extrémités de la piqûre. Déplacez le fer à repasser en remontant le long de la piqûre, tout en appuyant bien sur les surplus de couture (fig. 2).

Fig. 2

Fig. 3

Les surplus de couture sont tous couchés vers la droite.

Pour coucher les surplus de couture en vue d'une surpiqûre (voir page 76) ou d'une sous-piqûre (voir page 80), pressez la couture que vous venez de faire comme pour une couture ouverte (fig. 1). Rabattez ensuite la pièce de tissu dite de devant, de façon à ce qu'elle se présente avec l'endroit vers vous. L'envers des pièces de tissu se retrouve ainsi contre la planche à repasser. Placez une pattemouille entre le tissu et la semelle du fer pour éviter de marquer le tissu sur l'endroit et pressez le fer à repasser (fig. 3).

Les surplus de couture sont couchés vers le devant chaque fois que cela est possible : de cette façon, la ligne de couture paraît plus jolie sur l'endroit, la partie légèrement bombée apparaissant vers le devant.

Poser de l'entoilage thermocollant

Les entoilages thermocollants sont de plus en plus utilisés, car ils sont très pratiques et faciles à mettre en œuvre. Voici comment procéder pour les fixer sur le tissu.

Réalisez toujours un test sur une chute de tissu, pour savoir s'il réagit bien à l'application de l'entoilage, si l'épaisseur de l'entoilage choisi convient au projet, etc.

Respectez les indications fournies par le fabricant au moment de fixer l'entoilage : normalement une température est préconisée pour chaque produit. Si aucune indication n'est mentionnée, réglez le fer sur une température moyenne (150 °C). Ne vaporisez pas de vapeur quand vous thermocollez les entoilages.

Placez la face encollée de l'entoilage contre l'envers du tissu : elle est souvent brillante, voire granuleuse au toucher, à cause de la colle. Ces produits se fixent toujours sur l'envers du tissu et, pour ne pas le déformer, vous devez attendre le complet refroidissement du tissu entoilé avant de le déplacer et de l'utiliser.

Entoiler une surface

Posez l'entoilage face encollée contre l'envers du tissu et pressez le fer à repasser sur l'entoilage et le tissu, sans le faire glisser. Soulevez le fer pour le déplacer. Commencez par le centre de l'entoilage et progressez vers les pourtours pour éviter de former des plis. Une fois toute la surface encollée, repassez à nouveau plus rapidement l'ensemble. Assurez-vous que tout l'entoilage a adhéré au tissu. Sinon, recommencez, en augmentant légèrement la chaleur du fer ou en repérant les zones oubliées.

Entoiler une ligne de couture avec un ruban d'entoilage

Le ruban d'entoilage se colle sur la ligne de couture pour la renforcer, avant de piquer.

Collez le ruban en appuyant dessus la pointe du fer : commencez par une extrémité et progressez petit à petit, en plaçant avec votre pouce le ruban sur le tissu, avant que le fer ne vienne le coller. Thermocollez ainsi toute la longueur, sans étirer le ruban.

Si le tissu est fin, placez les trois quarts de sa largeur dans la marge de couture : l'entoilage sera alors plus discret à travers le tissu.

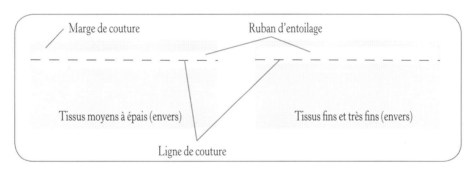

Emplacement du ruban d'entoilage selon l'épaisseur du tissu.

Pour entoiler des bords arrondis, si la courbe n'est pas trop prononcée, fixez le ruban sur la moitié de sa largeur, celle qui épouse le plus la courbe. Aplatissez ensuite le restant du ruban.

Pour les courbes plus marquées, utilisez du ruban coupé dans le biais (spécialement conçu pour épouser les lignes courbes) ou bien crantez le ruban classique au fur et à mesure que vous le posez pour lui faire prendre la forme de la courbe.

Bord entoilé avec un ruban coupé dans le biais.

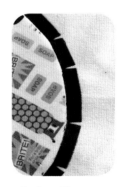

Bord entoilé avec un ruban classique que l'on a cranté pour lui faire suivre l'arrondi.

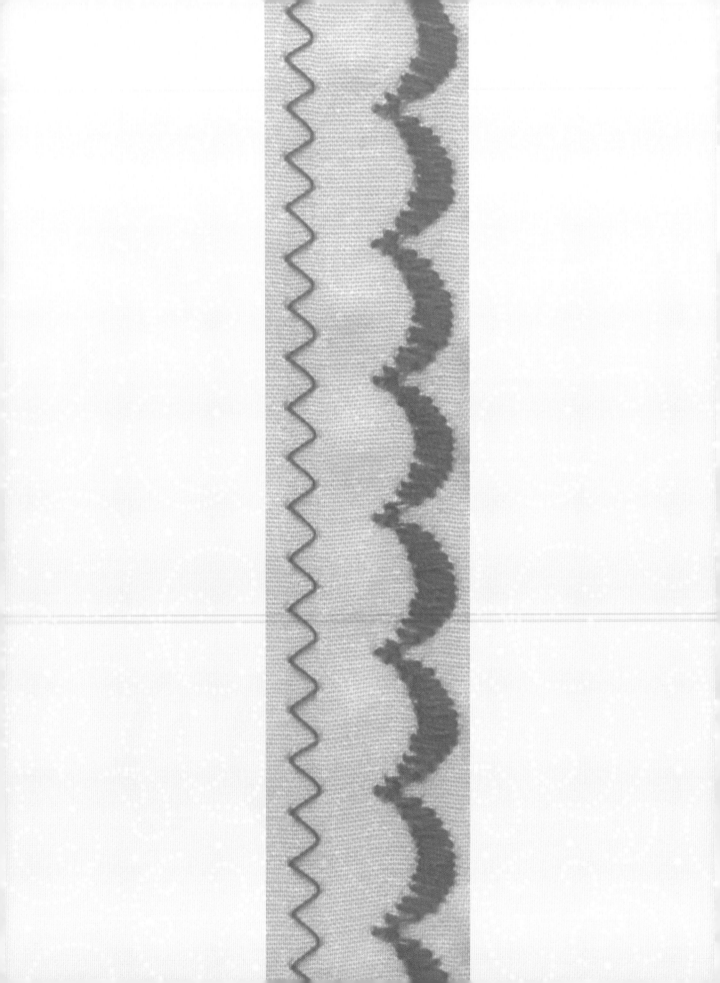

Les bases de la couture à la machine

Chaque machine est différente et requiert ses propres réglages, vous devez donc apprendre à connaître toutes les spécificités de votre machine. Nous allons voir dans ce chapitre comment enfiler la machine à coudre et en régler les tensions, mais aussi comment coudre les lignes droites, les arrondis et les angles.

Enfiler la machine à coudre

Canette

Bobiner une canette

La plupart du temps, on utilisera le même fil pour l'aiguille et pour la canette. Avant d'enfiler le fil d'aiguille, il est nécessaire de bobiner une canette, voici comment procéder.

Installez la bobine de fil sur le porte-bobine, tirez le fil de la bobine jusqu'au guide-fil de canette et passez le fil dans son disque (fig. 1).

Puis glissez l'extrémité du fil dans le petit trou prévu sur la canette et placez celle-ci sur l'axe du bobineur de canette (fig. 1 et 2).

Poussez la canette contre la butée du bobineur. Appuyez sur la pédale de la machine à coudre, en maintenant l'extrémité du fil passé par le petit trou de la canette : la canette est bobinée (fig. 3) ; arrêtez quand le fil a rempli les trois quarts de la capacité de la canette. Certaines machines à coudre stoppent le bobinage de la canette quand cette dernière est suffisamment remplie.

Vérifiez que la canette est bobinée de façon régulière, sinon débarrassez la canette du fil et recommencez une nouvelle canette.

Si la canette est correctement bobinée, coupez le brin de fil qui dépasse du petit trou de la canette et qui a servi au bobinage.

Fig. 1

Fig. 2
Le fil est passé dans l'ouverture prévue à cet effet sur la canette.

Fig. 3

Ici, la canette de droite est mal bobinée : le fil s'enroule de façon irrégulière et cette canette ne peut pas être utilisée pour coudre. Il convient de recommencer le bobinage.

Installer la canette

Canette verticale

Placez la canette verticale dans sa capsule : le fil doit se dérouler en faisant tourner la canette dans le sens inverse des aiguilles d'une montre (fig. 1).

Faites passer le fil dans l'encoche du compartiment de canette puis tirez-le sur la gauche. Le fil passe dans le ressort de tension et ressort par la seconde encoche (fig. 2).

Fig. 1

Fig. 2

Tirez environ 10 cm de fil. Quand vous tirez sur le fil, vous devez sentir une légère tension ; si le fil est trop lâche, cela signifie que le fil de canette est mal enfilé : installez à nouveau la canette dans la capsule pour corriger ce problème.

Une fois la canette installée dans la capsule, placez l'ensemble dans le logement de canette située sous la plaque d'aiguille (fig. 3).

Fig. 3
Le petit capot qui permet d'accéder au logement de canette est resté ouvert : on y voit la canette logée dans sa capsule et placée dans le logement de canette. Reste à faire remonter le fil de canette à travers la plaque d'aiguille (voir page 50).

Canette horizontale

Installez la canette dans son boîtier, de façon à ce que le fil fasse tourner la canette dans le sens inverse des aiguilles d'une montre. Faites passer le fil dans l'encoche du boîtier de canette et tirez-le vers l'arrière à l'extérieur du boîtier, sous le ressort de tension.

Les flèches blanches indiquent le chemin que doit prendre le fil de canette.

Bobine

Selon le sens de déroulement du fil de la bobine, le point de couture sera plus ou moins joli ; vérifiez dans le manuel de la machine de quelle façon la bobine doit être installée sur le porte-bobine, qui peut être vertical ou horizontal. Il est d'usage que le fil se dévide par le dessous de la bobine dans le cas d'un porte-bobine horizontal et par l'arrière dans le cas d'un vertical (quand vous regardez la bobine et que vous êtes installé pour coudre).

Placez un bloque-bobine (sorte de petite rondelle ou de petit chapeau en plastique) pour maintenir en place la bobine et permettre au fil de se dévider sans s'accrocher. Il existe différentes tailles de bloque-bobine : le plus souvent la machine en possède un petit et un grand, à choisir selon la taille de la bobine.

Position du bloque-bobine

Le bloque-bobine évite que la bobine ne tombe du porte-bobine, sans toutefois la serrer. Attention, ne le coincez pas contre la bobine : laissez quelques millimètres entre les deux afin que le fil se dévide souplement.

Sur ce porte-bobine horizontal, la bobine est installée de façon à ce que le fil se dévide par le dessous de la bobine.

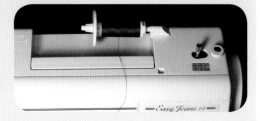

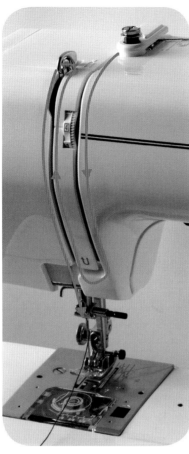

Parcours du fil. Pour enfiler le fil d'aiguille, l'aiguille doit être en position haute : ainsi le levier releveur se trouve lui aussi en position haute et donc accessible pour y glisser le fil.

Enfile-aiguille manuel : placez la boucle en métal de l'enfile-aiguille dans le chas de l'aiguille, avant d'y glisser le fil (fig. 1). En tirant la boucle de métal vers vous, celle-ci amène le fil dans le chas de l'aiguille (fig. 2).

Faites passer le fil dans le chemin de fil : à partir du porte-bobine, le fil passe dans différents guide-fils, dans le disque de tension du fil d'aiguille, remonte vers le levier releveur, puis descend dans les différents guides jusqu'au porte-aiguille.

Enfilez le fil dans le chas de l'aiguille : pour faciliter l'opération, coupez le fil en oblique avec des ciseaux de couture bien affûtés. Vous pouvez aussi vous aider d'un enfile-aiguille manuel (fig. 1 et 2).

Certaines machines sont équipées d'un enfile-aiguille automatique. Vérifiez que l'aiguille est dans sa position la plus haute. Abaissez l'enfile-aiguille, qui se positionne dans le chas de l'aiguille et faites alors passer le fil comme indiqué sur la photo ci-contre. Relâchez doucement le levier de l'enfile-aiguille : le petit crochet de l'enfile-aiguille tire alors une boucle de fil à l'arrière du chas : attrapez-la et tirez sur l'extrémité du fil : le fil d'aiguille est enfilé.

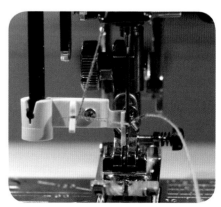

Enfile-aiguille automatique.

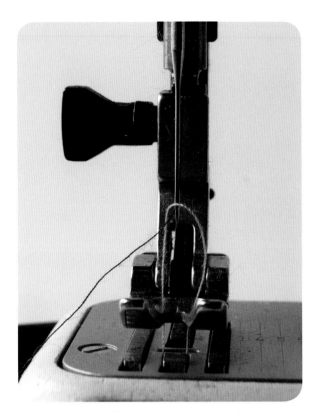

Le fil d'aiguille (noir) attrape le fil de canette (rose) qui forme
une boucle au travers de la plaque d'aiguille.

La canette est placée dans son logement, l'aiguille est enfilée. Il faut maintenant faire sortir le fil de canette à travers la plaque d'aiguille. Ne placez pas de
tissu sous le pied presseur et n'abaissez pas ce dernier, actionnez simplement
le volant de votre main droite, en le faisant tourner vers vous ; avec votre main
gauche, maintenez l'extrémité du fil d'aiguille souplement. L'aiguille plonge à
travers les griffes d'entraînement et remonte à son point le plus haut, attrapant
le fil de canette qui forme d'une petite boucle. Une fois cette boucle visible
dans la plaque d'aiguille, passez vos ciseaux dans la boucle pour attraper le
fil de canette et le tirer vers l'arrière du pied presseur, avec le fil d'aiguille. Les
deux fils ne doivent pas montrer de résistance ; si vous sentez qu'un des fils
accroche quelque part, procédez à un nouvel enfilage.

Changer l'aiguille

Si le projet nécessite un autre type d'aiguille, ou si l'aiguille en place est
cassée ou émoussée (elle fait des trous dans le tissu et l'abîme), il faut
retirer l'aiguille pour la remplacer. L'aiguille est maintenue dans le pince-
aiguille par une vis de serrage. Dévissez-la doucement tout en récupérant
l'aiguille avec votre seconde main. Puis insérez la nouvelle aiguille : son
talon plat vous contraint à la placer avec le devant de l'aiguille vers vous,
donc pas d'erreur possible. Quand le talon est à son point le plus haut
dans le pince-aiguille, serrez la vis à son maximum.

Utiliser le pied presseur

Le pied presseur maintient le tissu contre les griffes d'entraînement, permettant ainsi aux épaisseurs de tissu d'avancer.

Changer le pied presseur

Le pied presseur est fixé au porte-pied de différentes façons selon les marques de machines : le système de fixation peut être par clip, par pression ou encore directement sur la barre au moyen d'une vis.

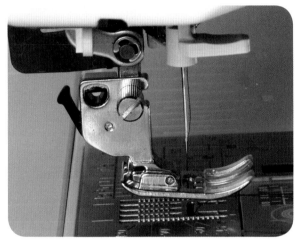

Fig. 1
La barre du pied presseur est clipsée sur le porte-pied.

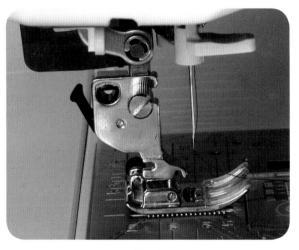

Fig. 2
Pour libérer le pied presseur, on appuie
sur le levier noir placé au dos du porte-pied.

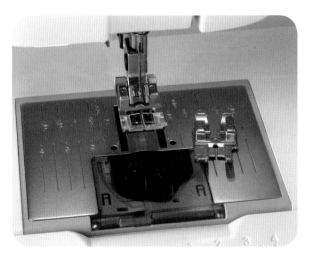

Ce pied presseur Pfaff se fixe juste par pression sur le porte-pied :
il n'y a pas de barre sur le pied presseur mais deux petits ergots
qui s'emboîtent sur le porte-pied.

Certains pieds presseurs sont à fixation haute : le pied presseur
et le porte-pied ne font qu'un. Pour changer de pied,
il faut dévisser en haut du porte-pied.

51

Positionner le tissu sous le pied presseur

Le pied presseur doit reposer sur le maximum de tissu, à chaque fois que cela est possible ; évitez de le placer à moitié sur le tissu et à moitié sur la plaque d'aiguille. Si vous souhaitez coudre très près du bord du tissu et si votre machine le permet, déplacez latéralement l'aiguille en utilisant la molette qui sélectionne la largeur du point.

Fig. 1
Sur cette figure, la position du tissu est incorrecte : le pied presseur n'est qu'en partie sur le tissu afin que l'aiguille soit au bord du tissu.

Fig. 2
Ici la position est correcte, le pied presseur repose en entier sur le tissu. Pour pouvoir coudre au plus près du bord du tissu, l'aiguille a été positionnée sur la droite.

Débuter et arrêter une couture

Sécuriser la couture

Quel que soit le point de couture utilisé, il est bon de sécuriser le début et la fin de la couture afin que le point ne se défasse pas. Plusieurs possibilités se présentent en fonction de la machine à coudre utilisée :

• Laisser 5 à 8 cm de fil d'aiguille et de canette en début et en fin de couture. Il suffira de faire passer le fil d'aiguille sur l'envers du travail au moyen d'une aiguille à coudre à la main et de nouer les deux fils ensemble. Privilégiez cette méthode pour le début et la fin des fronces, mais aussi la fin de couture des pinces (à la pointe de la pince).

• Effectuer deux ou trois points arrière en début et en fin de couture, en utilisant la touche marche arrière de la machine à coudre. En début de couture, réalisez quelques points en sens inverse (on démarre donc quelques millimètres plus loin que le début de la couture), puis cousez normalement. En fin de couture, revenez sur la couture de quelques points en utilisant à nouveau la touche marche arrière.

• Utiliser la fonction nœud (aussi appelée point d'arrêt) présente sur les machines à coudre électroniques : la machine effectue alors un nœud sur l'envers du travail, c'est-à-dire deux ou trois points réalisés au même endroit. C'est un arrêt très discret, à privilégier pour les coutures visibles sur l'endroit du travail, la couture des tissus fins et les points de broderie. Les points décoratifs sont en général programmés pour commencer par ce type d'arrêt de couture : vous indiquez la fin de la couture en appuyant sur la pédale.

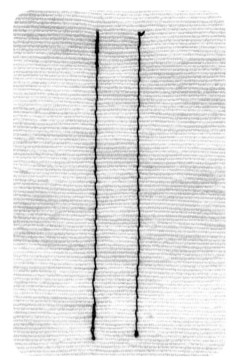

À gauche, couture arrêtée avec des points arrière ; à droite, couture arrêtée avec la fonction nœud.

L'arrêt des points spéciaux

Attention, certains points de couture des machines électroniques sont configurés pour réaliser en début de couture un point d'arrêt, ou quelques points arrière : ceci vous est spécifié par la machine ou dans son manuel d'utilisation. Vous n'avez donc pas à utiliser la fonction nœud, mais à penser où commencer votre point de couture, si la machine effectue quelques points arrière.

Dégager le tissu

Pour couper les fils en fin de couture, vous pouvez utiliser la fonction ciseaux (encore appelée coupe-fil) si la machine en dispose. Sinon, relevez l'aiguille puis le pied presseur et dégagez le tissu. Vous pouvez alors utiliser le coupe-fil situé sur le côté gauche de la machine à coudre : il permet de laisser la bonne longueur de fils pour que la machine soit prête pour une nouvelle couture. Si la machine ne possède pas cet outil, utilisez vos ciseaux ou votre coupe-fil.

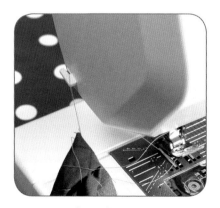

Coupe-fil manuel.

Régler le point de couture

Plusieurs éléments peuvent être réglés pour permettre d'obtenir un point de couture régulier, solide et beau.

L'indispensable test

Avant toute couture, réalisez un test sur une chute du tissu que vous allez coudre (et pas un autre) dans les mêmes conditions de couture : même pied presseur, mêmes fils (aiguille et canette), même aiguille, même point de couture, même épaisseurs de tissus. Si le point de couture vous convient, cousez votre projet ou bien effectuez les réglages nécessaires pour obtenir un point de couture satisfaisant (voir paragraphes ci-dessous).

Taille du point

Longueur de point

Adaptez la longueur du point de couture à votre projet. En fonction de l'épaisseur des tissus assemblés, augmentez ou réduisez la longueur du point :

- tissus fins et très fins (mousseline, voile, batiste) : 2 à 2,5 mm ;
- tissus moyennement fins (popeline, velours milleraies) : 2,5 à 3 mm ;
- tissus moyennement épais : 3 à 3,5 mm ;
- tissus épais : 3,5 à 5 mm.

Pour cela, placez le sélecteur sur le chiffre approprié ou appuyez sur les touches pour augmenter ou diminuer la mesure qui apparaît sur l'écran de la machine à coudre.

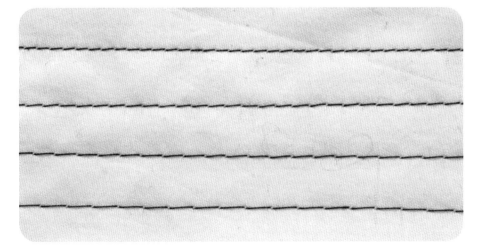

De haut en bas, des points de 2,4 mm, 3 mm, 4 mm et 5 mm de long.

Largeur de point

Faites de même pour la largeur du point zigzag et des points fantaisie : adaptez la largeur du point à l'épaisseur des tissus que vous travaillez et aux techniques de couture que vous mettez en œuvre.

Tensions des fils

Fil d'aiguille

Vous pouvez régler la tension qu'exerce la machine à coudre sur le fil de l'aiguille au moyen d'une molette (voir schéma page 10) ; plus le chiffre qu'indique la molette est grand, plus la tension exercée sur le fil est importante. En fonction du fil, du tissu et du type de point de couture que vous utilisez, des réglages différents peuvent être nécessaires ; plus le fil d'aiguille est épais, moins la tension doit être forte.

Quand le fil de canette apparaît sur l'endroit, ou celui d'aiguille sur l'envers, ou encore quand le tissu fronce, cela est signe que la tension du point de couture n'est pas adaptée. Resserrez ou relâchez la tension du fil d'aiguille tout doucement, petit à petit : faites un essai de couture entre chaque cran jusqu'à ce que vous trouviez le bon réglage.

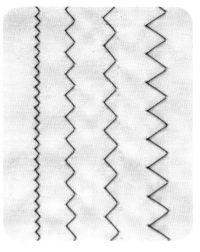

De gauche à droite, des points de 1,5 mm, 3 mm, 4 mm et 6 mm de large.

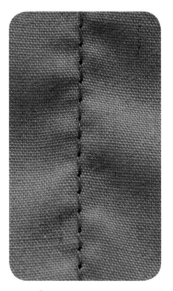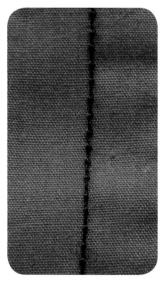

À gauche, le fil d'aiguille est trop tendu : le fil de canette bleu se voit sur l'endroit du tissu. Diminuez la tension en plaçant la molette sur un chiffre plus petit.
À droite, sur l'envers du tissu, le fil d'aiguille rose fait de petites boucles : il est trop lâche. Augmentez sa tension en plaçant la molette sur un chiffre plus élevé.

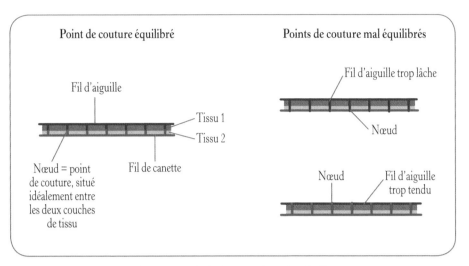

Point de couture équilibré

Fil d'aiguille

Tissu 1

Tissu 2

Nœud = point
de couture, situé
idéalement entre
les deux couches
de tissu

Fil de canette

Points de couture mal équilibrés

Fil d'aiguille trop lâche

Nœud

Nœud

Fil d'aiguille
trop tendu

Schémas de principe illustrant la tension du fil.

Pour le point zigzag et les différents points de broderie, le fil d'aiguille se voit légèrement sur l'envers du tissu quand la tension du fil d'aiguille est bonne.

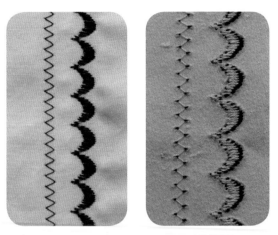

À gauche, l'endroit du point : la tension du fil est correcte,
le fil de canette n'apparaît pas sur l'endroit.
À droite, le fil noir de l'aiguille apparaît sur l'envers du tissu.
Le réglage de la tension est correct.

Certaines machines à coudre électroniques règlent automatiquement les tensions en fonction du point de couture sélectionné. Cependant, vous avez la possibilité d'affiner ce réglage si besoin.

Fil de canette

La tension du fil de canette n'est à régler qu'en dernier recours, après avoir essayé toutes les autres solutions pour régler la tension du fil d'aiguille. Il est rare que vous ayez à toucher à ce paramètre, sauf pour des techniques particulières (voir chapitre 7, page 193). Attention toutefois, la manipulation de cette vis peut entraîner l'annulation de la garantie de votre machine à coudre. Pour ne prendre aucun risque, vous pouvez acquérir un second boîtier de canette ou bien investir dans un boîtier spécial, conçu pour l'utilisation des fils épais (voir page 217), comme le *creative bobbin case* de la marque Pfaff.

Sur les machines à coudre ayant une canette verticale, vous trouverez sur la capsule de canette une petite vis : elle permet d'ajuster la tension exercée sur le fil qui sort de la canette.

Sur une machine à coudre ayant une canette horizontale, démontez le boîtier de canette selon les instructions données dans les annexes (page 255) : une petite vis

Sur cette capsule de canette, la plus petite vis (la plus foncée) est celle qu'il faut serrer ou desserrer pour ajuster la tension du fil de canette.

similaire permet de régler la tension. Tournez cette petite vis de 1/16 de tour de vis à chaque fois et procédez à des essais de couture entre chaque réglage.

Organisez un « carnet de bord »

Tenez un carnet où, au fil du temps, vous consignez les réglages faits. En fonction des tissus cousus, les réglages diffèrent : notez pour chaque cas les réglages de tension et de pression, l'aiguille et le fil que vous avez utilisés, les bonnes associations mais aussi les erreurs, pour éviter de les reproduire. Ainsi vous gagnerez du temps lorsque vous coudrez un tissu similaire à un autre déjà travaillé.

Pression du pied presseur

Une molette ou une vis vous permet d'augmenter ou de diminuer la pression qu'exerce le pied presseur sur le tissu. Un tissu fin et léger nécessite peu de pression ; au contraire, un tissu lourd et épais demande une pression plus importante pour que son entraînement soit facilité.

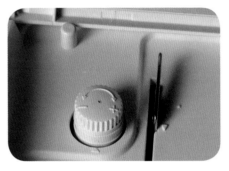

La molette de réglage de la pression du pied presseur, avec ses indications + ou –.

Sur la couture de gauche, la pression du pied presseur est trop importante et fait plisser le tissu.

Trouver l'origine d'une couture défectueuse

Quand le point de couture se réalise mal, c'est le plus souvent la tension des fils qui est incriminée, mais ce n'est pas le seul élément qui peut être en cause : la pression du pied, une aiguille mal choisie ou en mauvais état, un fil grossier, un tissu nécessitant d'être entoilé, etc. Pensez à vérifier tous ces éléments quand votre point de couture ne vous satisfait pas (voir page 257).

Coudre droit

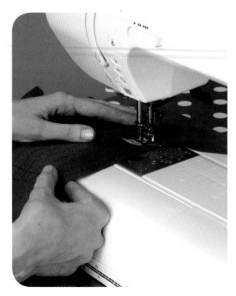

Il n'est pas toujours aisé de coudre droit pour un débutant : la machine vous semble aller trop vite, vous avez l'impression de ne rien maîtriser, vous ne savez pas où mettre vos mains, quoi tenir, comment guider, que regarder ! Faites-vous confiance et faites confiance à la machine.

De façon assez instinctive, vous allez poser votre main gauche à hauteur du pied presseur et votre main droite devant le pied presseur. Quant à votre regard, posez-le plutôt sur le centre du pied presseur que sur l'aiguille. Laissez faire la machine pendant la couture : vous devez simplement rectifier d'un geste souple la direction que prend le tissu.

Position des mains sur le tissu.

Pour réaliser des coutures bien droites ou bien alignées, vous avez à votre disposition différentes solutions :

• la plaque d'aiguille de la machine à coudre est généralement gravée de repères de couture en *inches* (pouces) et en centimètres. Vous pouvez aligner votre tissu sur ces marques ;

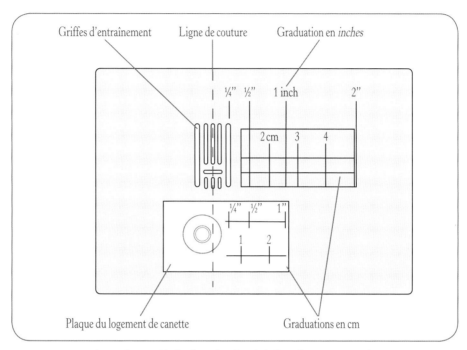

Les repères sont indiqués en fonction de la ligne de couture centrale
(c'est-à-dire pour une aiguille positionnée au centre).

Préparer l'assemblage de tissus

Afin d'éviter que les pièces de tissu que vous allez assembler ne bougent pendant la couture, vous pouvez les bâtir à la main, à la machine à coudre (voir page 73), mais aussi les épingler.

Si le patron est marges de couture comprises, alignez les bords à assembler et épinglez en plaçant les épingles perpendiculaires aux bords (tissu de gauche sur la photo ci-contre).

Si le patron est marges de couture non comprises, vous avez reporté la ligne de couture sur chaque pièce de tissu. Épinglez les pièces de tissu entre elles sur leurs lignes de couture respectives (tissu de droite sur la photo).

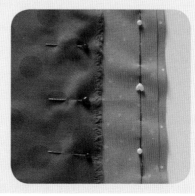

Il est important de retirer les épingles au fur et à mesure de la piqûre pour ne pas abîmer l'aiguille.

59

• vous pouvez aussi utiliser les bords du pied presseur pour les coutures réalisées à peu de distance, ou encore les repères aménagés sur le pied presseur. Si le pied presseur n'a pas de repère ou qu'ils ne sont pas suffisamment lisibles, dessinez des repères à l'aide d'un feutre indélébile ;

Ce pied-de-biche Pfaff comporte de petites marques rouges qui peuvent servir de repère pendant la couture.

• des pieds spéciaux et des accessoires peuvent aussi être d'une grande aide en équipant la machine d'un véritable guide ;

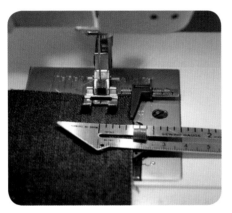 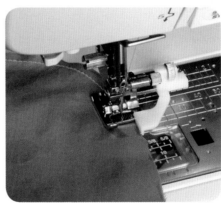

Sur ces deux images on voit un pied multifonction avec un guide de couture réglable : déplacez le curseur à la distance souhaitée pour coudre parallèlement au bord.

Ici, un pied presseur avec guide de couture fixe : il faut déplacer l'aiguille latéralement pour faire varier la distance entre la piqûre et le bord du tissu.

Le guide de matelassage, habituellement destiné au patchwork et au quilting, devient un très bon guide de couture.

Un guide à visser sur votre espace de travail est aussi un accessoire intéressant ; tout comme le guide de matelassage, il est utilisable quel que soit le pied presseur utilisé. On trouve également des guides de couture aimantés, exploitables seulement si votre machine est mécanique.

• enfin, un morceau de ruban adhésif peut aussi très bien faire l'affaire : positionnable à n'importe quelle distance, bon marché et amovible, il fait un guide de couture pratique.

Découdre une couture

Malheureusement il arrive parfois qu'il faille découdre ce qui vient d'être cousu. Pour cela, le découd-vite est l'arme idéale (ou, à défaut, des ciseaux à broder feront l'affaire).

Pour une couture au point droit, travaillez sur l'envers en coupant le fil de canette à l'aide du découd-vite à différents endroits de la couture. Puis, sur l'endroit, tirez sur le fil d'aiguille qui vient alors d'un seul tenant (fig. 1).

Cette méthode ne convient pas aux autres points de couture, ni à une couture dont les points sont très petits. Dans ce cas, écartez les deux pièces de tissu assemblées et coupez au découd-vite chaque nouveau point qui se présente (fig. 2).

Fig. 1

Fig. 2

Coudre les angles et arrondis

Coudre un angle

Pour réaliser un angle propre et rectiligne, réduisez la longueur de votre point de couture quelques centimètres avant d'arriver à l'angle, dans le but de pouvoir piquer exactement sur l'angle. Quand votre aiguille se trouve exactement sur ce point, laissez l'aiguille plantée dans le tissu, dans sa position la plus basse, et relevez le pied presseur. Faites pivoter le tissu de façon à positionner le tissu dans la nouvelle direction et à aligner la ligne de couture avec le pied presseur (fig. 1). Continuez la couture et, quelques centimètres plus loin, reconfigurez la longueur du point à sa longueur normale.

La **couture de renfort** est utilisée pour consolider des zones de tissu qui peuvent être soumises à des tensions plus fortes, en particulier aux angles (fig. 2). Tout d'abord, piquez les deux lignes de couture qui se croisent, en

Fig. 1

Fig. 2

Cranter : obtenir un angle bien dessiné

Avant de retourner sur l'endroit les tissus assemblés, vous pouvez réduire les surplus de couture au niveau de l'angle, afin d'obtenir un angle bien dessiné. Pour cela, au moyen de ciseaux fins, crantez le coin dans la diagonale et si besoin réduisez les surplus de couture qui partent de cet angle. Pour un angle intérieur il est indispensable de cranter.

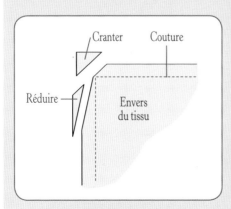

Sur ce schéma, l'angle a été cranté
et réduit d'un côté.

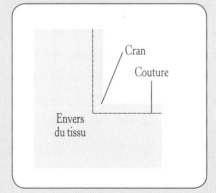

Pour cranter un angle intérieur, entaillez
les épaisseurs de tissu sur la bissectrice
de l'angle avant de retourner sur l'endroit.

poursuivant la couture dans les marges de couture : arrivé au bord du tissu, coupez les fils sans faire d'arrêt de couture. Piquez un point droit de 2 mm de long sur les précédentes piqûres, de part et d'autre de l'angle, sur 3 à 5 cm environ, sans piquer dans les marges de couture. Enfin, défaites les quelques points de la première couture présents dans les marges de couture. Crantez et retournez sur l'endroit.

Coudre un arrondi

Pour coudre les arrondis, il faut penser à diminuer la longueur du point pour pouvoir suivre la courbe au plus près. Plus l'arrondi est serré, plus il convient de réduire la longueur de point. Cousez lentement en guidant le tissu avec vos mains. Si vous devez soulever le pied presseur pour faire tourner le tissu, alors laissez l'aiguille plantée dans le tissu, relevez le pied presseur, bougez le tissu et rabaissez le pied presseur avant de continuer la couture. Ainsi votre travail ne se décale pas, l'aiguille plantée dans le tissu l'a maintenu à sa place.

La **couture de maintien** est une piqûre qui vise à empêcher le tissu de se déformer ou de plisser, en particulier quand le tissu est coupé dans le biais ou de façon incurvée.

Avant d'assembler deux pièces arrondies, vous pouvez piquer dans les marges de couture une couture de maintien. Celle-ci évite que la pièce ne se déforme pendant la piqûre d'assemblage et vous permet surtout de cranter les marges de couture, et donc de faciliter la couture d'assemblage des deux pièces incurvées.

Quand l'arrondi n'est pas très marqué, pas besoin de relever le pied presseur, laissez vos mains guider la couture.

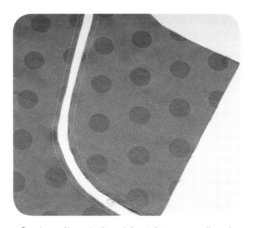

Ces deux pièces de tissu doivent être cousues l'une à l'autre. Pour éviter que les courbes ne se déforment pendant la piqûre d'assemblage, une couture de maintien a été piquée sur chaque pièce. Ici une pièce concave est assemblée à une pièce convexe, mais la technique est aussi valable pour une pièce concave assemblée à une autre pièce concave.

63

Voici comment procéder : à 2 ou 3 mm de la ligne de couture de l'arrondi, piquez dans la marge de couture de chaque pièce. Puis crantez les surplus de couture de l'une des pièces de tissu, pour qu'elle puisse épouser la forme de l'autre pièce.

Épinglez les pièces ensemble et piquez-les.

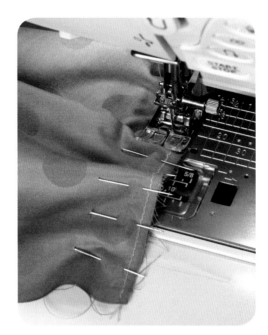

Comme l'une des pièces a été préalablement crantée, la piqûre peut se faire en suivant la courbe de la pièce non crantée, les crans ayant ouvert l'arrondi.

Cranter un arrondi

Pour éviter les surépaisseurs disgracieuses, crantez les arrondis en découpant de petits triangles dans les marges de couture. Ainsi, quand vous retournez sur l'endroit les pièces de tissus assemblées, les surplus de couture se répartissent.

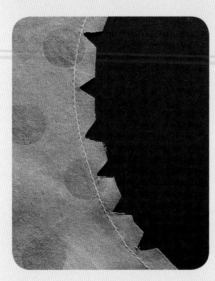

Cranter un bord concave.

Cranter un bord convexe.

Coudre avec l'aiguille double

L'aiguille double est une aiguille spéciale, composée de deux aiguilles solidaires ayant le même talon. Elle se met en place comme une aiguille normale dans le pince-aiguille.

Elle existe selon différents espacements : sur la boîte, le premier chiffre renseigne sur l'écartement entre les deux aiguilles, le second donne la taille des aiguilles. Par exemple, 4,0/80 désigne une aiguille double d'un espacement de 4 mm ayant des aiguilles de taille 80.

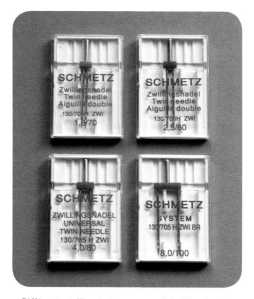

Différentes tailles et écartements d'aiguilles doubles
de type universel.

Les aiguilles doubles sont de plusieurs sortes, pour correspondre aux tissus cousus (aiguille double pour jeans, voir page 173, pour la couture des tissus élastiques, voir page 182) ou aux techniques de couture (aiguille double pour broderie, voir page 228).

Les aiguilles doubles servent à réaliser des ourlets, des surpiqûres doubles, mais aussi des nervures et des broderies.

Vérifier la plaque d'aiguille

Avant d'utiliser une aiguille double, pensez à vérifier que la plaque d'aiguille de la machine à coudre permet d'utiliser ce type d'aiguille : il faut que le trou de la plaque soit suffisamment large pour que l'aiguille double puisse y entrer sans toucher la plaque !

Installer les fils d'aiguille

Placez la première bobine de fil d'aiguille comme pour une couture simple ; quant à la seconde bobine, plusieurs solutions sont possibles, selon les fonctionnalités qu'offre votre machine à coudre :

• la machine propose un second porte-bobine (il peut être amovible ou fixe) : installez-y la seconde bobine ;

• certaines machines haut de gamme proposent un porte-bobine multiple, sur lequel vous pouvez installer de nombreuses bobines. Cet accessoire est pratique quand vous travaillez une gamme variée de coloris de fils : une fois toutes les bobines installées, vous n'avez plus qu'à tirer les fils au fur et à mesure de l'avancement de votre projet ;

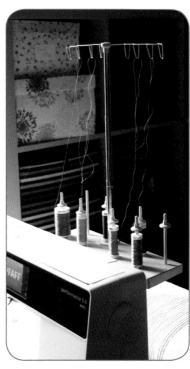

• si votre machine à coudre ne propose pas d'autre porte-bobine, investissez dans un porte-cône (ou porte-bobine) vendu en mercerie et placez-le à l'arrière de la machine à coudre. Celui-ci vous permet aussi d'utiliser des cônes de fil à la place des bobines ;

• vous pouvez aussi utiliser une canette comme seconde bobine : bobinez une canette avec le fil que vous souhaitez utiliser dans le second chas de l'aiguille double, et placez cette canette sur le porte-bobine, à côté de la première bobine. Maintenez le tout avec un bloque-bobine.

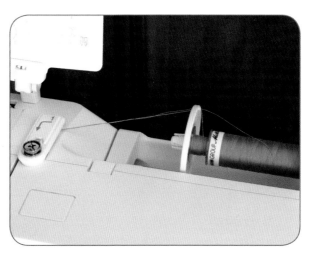

Une fois les bobines en place, réunissez les fils d'aiguille et faites-les passer ensemble dans le chemin de fil, jusqu'au pince-aiguille. Arrivés au talon de l'aiguille double, les fils sont séparés par deux guides différents avant de passer dans leurs chas respectifs (sur certaines machines à coudre, il n'y a qu'un seul guide pour les deux fils).

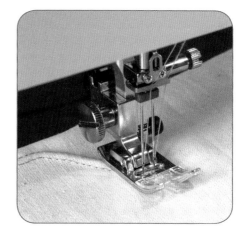

Pour le fil de canette, choisissez un fil polyester fin, qui sera plus extensible qu'un fil de coton. Sur l'envers du point, le fil de canette apparaît, faisant le va-et-vient entre les deux fils d'aiguille, et dessinant ainsi une sorte de zigzag.

Coudre

Cousez comme d'habitude, en utilisant un pied presseur multifonction, dont la large ouverture permet le passage de l'aiguille double. Piquez à vitesse moyenne et faites attention aux angles : vous ne pouvez pas tourner comme avec une aiguille normale.

Pour coudre un angle avec une aiguille double, il faut qu'une des aiguilles fasse du surplace. Pour cela, arrivé au niveau de l'angle, actionnez l'aiguille double au moyen du volant plutôt qu'au moyen de la pédale, afin d'être plus précis. Faites un nouveau point mais arrêtez-vous avant que les aiguilles ne pénètrent le tissu. Soulevez le pied presseur et faites tourner le tissu de façon à ce que l'aiguille qui doit rester sur place ne bouge pas et que l'autre avance d'un point. Abaissez le pied presseur et laissez les aiguilles pénétrer dans le tissu : votre aiguille double a tourné. Recommencez de la même façon jusqu'à ce que la couture ait dessiné tout l'angle.

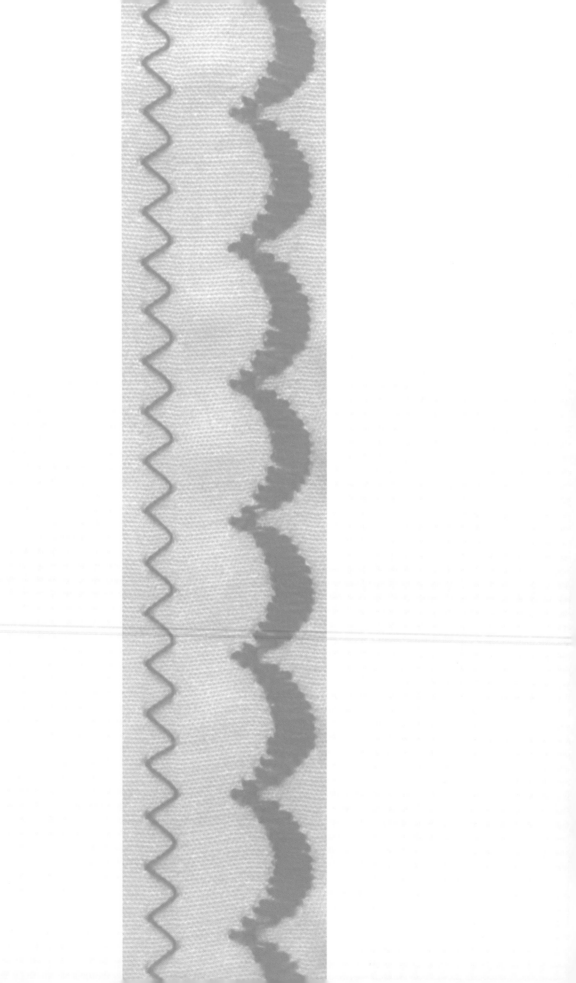

Assembler à la machine à coudre

L'une des principales fonctions de la machine à coudre est d'assembler deux pièces de tissus : c'est la base de la couture. Pour cela, nous disposons de différents points de couture et techniques. Dans ce chapitre, nous détaillerons les deux principaux points de couture d'assemblage, le point droit et le point zigzag, qui sont en outre à la base de tous les autres points de couture à la machine à coudre.

Coudre au point droit

Le point droit réalise une couture qui dessine une ligne. C'est le point de base en couture : il permet d'effectuer un très grand nombre de techniques de couture. Comme pour toute couture, il nécessite une aiguille et un fil adaptés au tissu cousu. Il convient à toutes les matières.

Deux pieds-de-biche peuvent convenir à sa réalisation : le pied droit et le pied multifonction (pour ce dernier, voir page 93).

Point droit.

Pied presseur pour point droit

Percé d'un petit trou qui laisse passer l'aiguille, ce pied maintient le tissu sur la plus grande surface possible et permet ainsi d'obtenir un beau point droit. Sa semelle plate et lisse exerce une pression constante sur toute la surface en contact avec le tissu. Il évite que les tissus fins ne plissent ou soient entraînés sous la plaque d'aiguille et il maintient bien en place les tissus plus épais.

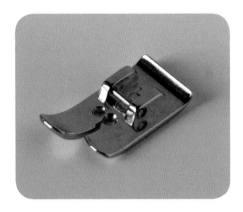

Attention, ne sélectionnez jamais un point zigzag avec ce pied presseur. Ne bougez pas non plus la position de l'aiguille, laissez-la bien centrée sur le trou du pied presseur. Sinon vous casseriez votre aiguille à coup sûr !

La plaque d'aiguille pour point droit

Mise au point à l'origine pour la broderie en piqué libre, cette plaque est d'une grande utilité associée au pied presseur pour point droit. Elle est percée d'un petit trou qui correspond juste au passage de l'aiguille et évite que le tissu soit entraîné sous les griffes de la machine à coudre. Pour l'installer, défaites la plaque d'aiguille d'origine et remplacez-la par celle pour point droit, comme cela est détaillé page 255.

70

Coudre avec le pied point droit

Longueur de point

Pour une piqûre d'assemblage classique, la longueur du point dépend du tissu travaillé. Pour un tissu fin, un point de 2 à 2,5 mm conviendra ; pour un tissu moyen, 2,5 à 3 mm et enfin 3 à 3,5 mm pour un tissu épais. Vous devrez sans doute réduire la longueur du point lorsque vous cousez des arrondis ou des angles (voir page 63).

L'exemple des pinces

Le pied point droit est le pied idéal pour coudre des pinces nettes et plates, même avec des tissus fins : ce pied ne fait pas plisser le tissu pendant la piqûre de la pince.

Commencez par tracer la pince puis faites correspondre les tracés et épinglez les deux épaisseurs (fig. 1).

Alignez la ligne de pince avec le centre du pied point droit, vous finirez la couture par la pointe de la pince. Piquez et faites mourir la couture sur le bord du tissu (fig. 2).

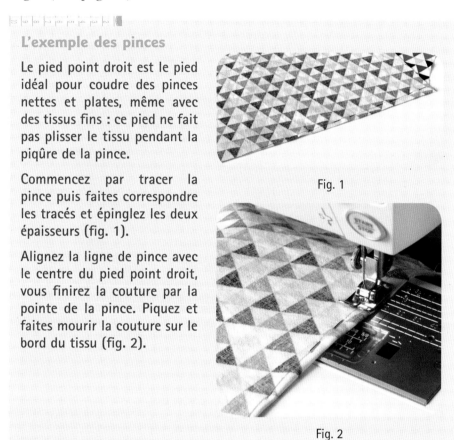

Fig. 1

Fig. 2

Marges de couture

Avec le pied point droit, pas question de déplacer latéralement l'aiguille pour faire coïncider bord du tissu et bord du pied presseur. De ce fait, adaptez votre patron en choisissant comme marge de couture la moitié du pied presseur pour point droit, soit 8 mm. Ainsi vous pouvez aligner le bord du pied presseur avec le bord du tissu pendant la couture.

Techniques utilisant le point droit

Couture ouverte et couture fermée

Ces deux coutures sont les piqûres que vous réalisez le plus souvent en couture à la machine.

La **couture ouverte** réunit deux pièces de tissu au point droit, endroit contre endroit. Les surplus de couture, préalablement surfilés (voir p. 100) sont écartés au fer à repasser sur l'envers.

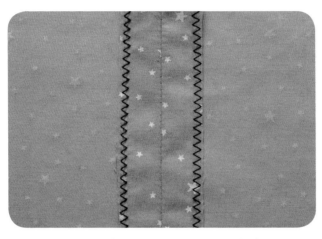

La couture d'assemblage au point droit est visible
au centre entre les deux coutures surfilées.

Pour la **couture fermée**, on pique au point droit les deux pièces de tissu placées endroit contre endroit. Puis, sur l'envers, on surfile ensemble les deux surplus de couture avant de les coucher d'un côté au fer à repasser. Ce type de couture nécessite souvent d'être ensuite surpiquée ou sous-piquée (voir plus loin).

À gauche, la couture d'assemblage au point droit,
à droite le surfilage des surplus de couture.

Bâti

Le bâti est une couture provisoire assemblant deux pièces de tissu. Pour bâtir à la machine à coudre, choisissez un point long (le plus long que propose votre machine). Un fil à bâtir est utile : composé en coton, il est plus simple à découdre qu'un fil polyester, car il se rompt plus facilement. Choisissez-le de couleur contrastée par rapport au tissu : il sera alors plus facile d'éviter de piquer dessus au moment de réaliser la couture d'assemblage et vous le repérerez mieux quand il faudra le retirer. Enfin, choisissez une aiguille convenant en taille et en nature au tissu à travailler.

Piquez la couture de bâti à 1 ou 2 mm de l'emplacement de la couture définitive, dans le surplus de couture.

Faites l'essayage du projet pour vérifier que la ligne de couture est bonne. Si c'est le cas, procédez à la couture au point droit sur la ligne de couture (donc

à quelques millimètres du bâti), et prenez garde de ne pas piquer sur le bâti, qui sinon sera difficile à ôter. Enfin, coupez et retirez le fil de bâti à l'aide d'un découd-vite.

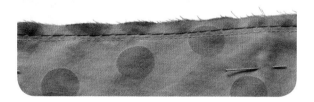

Le fil hydrosoluble

Utiliser du fil hydrosoluble pour bâtir permet de gagner du temps : bâtissez vos projets de vêtements, de patchwork, mais aussi vos appliqués avec ce fil spécial, puis réalisez les coutures définitives. Lavez le projet et le fil de bâti se dissout, disparaissant totalement au contact de l'eau. En revanche, n'essayez pas de mouiller la pointe du fil pour l'enfiler dans le chas de l'aiguille !

Le bâti peut servir également à marquer des repères de façon durable, ou bien de façon temporaire sur des matières pour lesquelles les méthodes de marquage traditionnelles ne sont pas possibles.

Couture de soutien

Aussi appelée **point d'aisance**, cette couture, à mi-chemin entre les fronces et la couture de maintien, sert à faire coïncider deux pièces de tissu dont l'une est légèrement plus grande que l'autre. Elle permet donc de réduire la longueur d'une des pièces et pour cela s'utilise très fréquemment lors du montage de la tête d'une manche.

Utilisez un point droit d'une longueur de 3 à 5 mm (selon l'épaisseur du tissu), dont vous relâchez un peu la tension si besoin pour pouvoir froncer le tissu plus facilement.

Tête de manche soutenue, épinglée sur l'emmanchure avant piqûre.

La piqûre se réalise dans les surplus de couture ; les repères ou crans du patron vous indiquent la distance sur laquelle il faut soutenir. Pensez à laisser 5 cm de fils d'aiguille et de canette en début et en fin de couture et n'arrêtez pas la couture. Une fois la piqûre réalisée, tirez sur le fil de canette pour froncer la pièce et lui donner la bonne longueur : les crans de montage des deux pièces de tissu doivent coïncider ; puis répartissez les fronces et nouez les fils de canette et d'aiguille ensemble.

Épinglez les deux pièces de tissu et assemblez selon la ligne de couture.

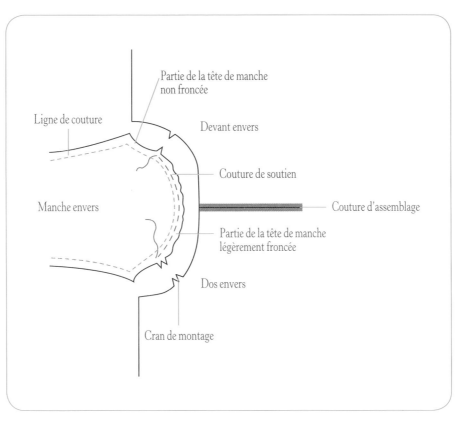

Partie de la tête de manche
non froncée

Ligne de couture

Devant envers

Couture de soutien

Manche envers

Couture d'assemblage

Partie de la tête de manche
légèrement froncée

Dos envers

Cran de montage

Sur ce schéma, la tête de manche est représentée à plat pour une meilleure compréhension.

Tête de manche cousue à l'emmanchure : en rouge la couture de soutien,
en crème la piqûre d'assemblage.

Sous-piqûre

Également nommée **couture couchée** ou **couture morte**, la sous-piqûre se réalise sur les parementures pour les empêcher de tourner vers l'extérieur et les maintenir plaquées sur l'envers du travail.

Préparez la parementure en en surfilant les bords qui ne vont pas être piqués. Puis assemblez la parementure à la pièce de tissu principale (encolure, emmanchure, poignet, etc.), endroit contre endroit. Réduisez les surplus de couture à environ 6 mm, crantez les arrondis ou les angles. Ouvrez la couture au fer à repasser, en couchant les surplus de couture du côté de la parementure (fig. 1). Piquez les trois épaisseurs ensemble sur l'endroit, avec un point droit de longueur moyenne (2,5 à 3,5 mm selon les matières) à quelques millimètres de la couture d'assemblage. Repliez la parementure sur l'envers du vêtement et repassez (fig. 2).

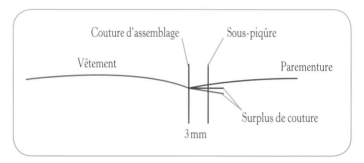

Fig. 1

Fig. 2

Envers d'une encolure bordée d'une parmenture : la sous-piqûre couleur crème apparaît à quelques millimètres de la couture d'assemblage.

Pour la réalisation d'un ourlet rapporté (voir page 114), effectuer une sous-piqûre aide à la mise en place de l'ourlet sur l'envers.

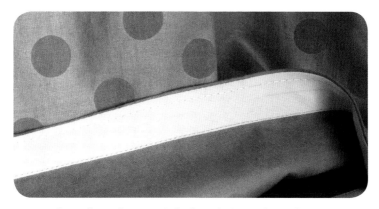

Envers d'un ourlet rapporté : la piqûre située à quelques millimètres du bord est la sous-piqûre.

Sous-piqûre ou surpiqûre?

La sous-piqûre peut être confondue avec la surpiqûre : elle se différencie simplement par le fait qu'elle n'est pas esthétique mais utile et qu'elle n'apparaît que sur l'envers du vêtement.

Couture rabattue

MÉMO
- **Aiguille et fil adaptés au tissu ; une aiguille une taille au-dessus sera préférable pour la seconde couture.**
- **Point droit de longueur 2,5 mm ou plus selon le tissu.**
- **Pied multifonction, pied pour surpiqûre à double niveau ou pied ourleur 4 ou 6 mm.**

Réalisée sur l'endroit, cette couture, appelée aussi **couture confection**, convient bien aux tissus tissés qui s'effilochent facilement, ainsi qu'aux projets réversibles, parce que la couture est très nette sur l'envers comme sur l'endroit, les surplus de couture étant enfermés. Avec sa double piqûre, elle sied parfaitement aux projets qui doivent être cousus solidement. Enfin, elle apporte une finition plutôt «décontractée» aux réalisations.

Avec le pied multifonction

Prévoyez des surplus de couture d'au moins 1 cm pour chaque pièce puis placez-les envers contre envers. Piquez au point droit selon la ligne de couture, en utilisant une aiguille et un fil adaptés au tissu cousu.

Réduisez un seul des surplus de couture à 0,5 cm de large.

77

Au fer à repasser, pliez le grand surplus de couture en deux, envers contre envers et épinglez-le de façon à ce qu'il enferme le petit surplus de couture (fig. 1).

Fig. 1

Choisissez alors une aiguille une taille au-dessus car elle doit traverser trois épaisseurs de tissu. Configurez la machine à coudre pour un point droit long (3,5 à 4 mm) et placez l'aiguille latéralement de façon à ce qu'elle vienne piquer à quelques millimètres du rebord du surplus (fig. 2).

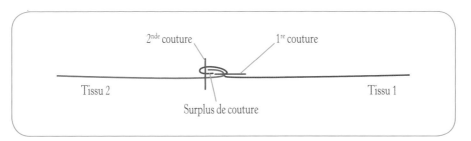

Fig. 2

Ici, la seconde piqûre est réalisée avec le pied pour surpiqûre
à double niveau de la marque Pfaff, qui permet de gérer la différence
d'épaisseur pendant la piqûre.

Avec le pied ourleur

Le pied pour ourlet roulotté ou pied ourleur (voir page 165) facilite la réalisation de la dernière étape de la couture rabattue. Il présente une semelle avec une grande rainure qui lui permet de passer sur l'épaisseur de la couture rabattue sans difficulté. Sur le dessus, un petit ergot replie le bord du tissu qui doit être rentré (fig. 3). Utilisez un pied pour ourlet roulotté de 4 ou 6 mm : il permet de réaliser une couture rabattue à 4 ou 6 mm de la première couture.

Fig. 3
Pied ourleur de 4 mm de la marque Pfaff.

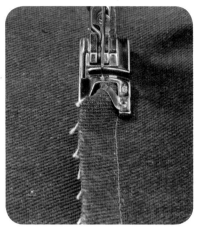

Pour obtenir une couture bien parallèle à la première, alignez la partie droite du pied ourleur sur la couture d'assemblage.

Sur l'envers d'une couture rabattue, on obtient deux coutures parallèles. Sur l'endroit, la couture est très propre (aucun bord n'est visible).

Le petit plus déco

La couture rabattue peut être agrémentée d'un ruban ou d'une dentelle incorporé au moment de la seconde piqûre ; une façon simple d'apporter une touche d'originalité à cette couture très utilisée.

79

Surpiqûre

La surpiqûre est une couture visible sur l'endroit du tissu. Elle souligne une couture d'assemblage tout en la consolidant ; elle se réalise aussi sur les bords d'un projet pour mettre en évidence ses contours. Traditionnellement elle est piquée à 5 mm de la couture ou du bord à souligner. La surpiqûre se révèle également utile pour éviter qu'un bord ne roule, pour donner de la tenue, pour fixer un revers.

MÉMO

- Aiguille adaptée au tissu ; une aiguille *topstitch* (à surpiquer) est préférable pour les tissus moyens et épais.
- Fil polyester en double ou fil à surpiquer.
- Point droit de longueur 3 mm ou plus selon le tissu.
- Pied pour surpiqûre.

Préparation de la couture

Pour les tissus fins, une aiguille universelle et un fil polyester classique, utilisé en double, suffisent pour exécuter de belles surpiqûres. L'aiguille universelle peut être remplacée par une aiguille microtex, qui s'avère plus précise car sa pointe est plus acérée.

Cette batiste grise est surpiquée avec une aiguille microtex,
un fil polyester rouge et au moyen du pied presseur
pour surpiqûre à double niveau.

Pour les tissus moyens à épais, il est recommandé d'utiliser une aiguille à surpiquer (*topstitch*), taille 100 à 120 selon le tissu à coudre : son grand chas et sa gorge allongée sont spécialement conçus pour protéger le fil à surpiquer, plus épais qu'un fil classique. Bien pointue, elle perfore facilement les tissus denses et épais. À défaut d'aiguille *topstitch*, une aiguille jeans peut aussi convenir.

Côté fil, le fil à surpiquer (appelé aussi cordonnet ou encore extrafort) convient bien aux tissus moyens à épais. Solide car constitué de fibres de polyester qui le rendent plus épais qu'un fil polyester classique, il permet d'obtenir une couture bien visible. Il s'emploie aussi pour confectionner les boutonnières sur les tissus épais et pour coudre les boutons.

Comment se passer de fil à surpiquer ?

Utiliser un fil classique polyester en double est une façon facile et peu onéreuse de remplacer le fil à surpiquer. Vous obtenez ainsi un fil plus résistant et d'apparence plus épais. Vous pouvez aussi utiliser deux couleurs distinctes, pour un rendu esthétique très différent. Installez deux fils d'aiguille sur la machine à coudre (comme expliqué page 165) et enfilez les deux fils dans le chas de l'aiguille. Si vous n'avez pas deux bobines identiques, bobinez une canette en guise de seconde bobine.

Pour la couleur, vous avez le choix d'utiliser un fil ton sur ton, qui donne du relief tout en restant discret (fig. 1), ou au contraire un fil contrastant, qui mettra en exergue les surpiqûres (fig. 2).

Fig. 1
Cette couture d'épaule a été surpiquée avec un fil d'une couleur très proche de celle du tissu. La surpiqûre permet de maintenir les surplus de couture vers l'arrière du vêtement en toute discrétion.

Fig. 2
Ici la surpiqûre a été réalisée avec un fil rouge qui vient rappeler le bouton cousu plus haut. Cette surpiqûre allie ainsi décoration et utilité en maintenant le pli creux en place.

Utiliser le fil à surpiquer dans la canette

Parfois le fil à surpiquer est mal toléré comme fil d'aiguille. Dans ce cas, ne bataillez pas ! Utilisez le fil à surpiquer dans la canette et un fil polyester classique comme fil d'aiguille, et travaillez en piquant sur l'envers du projet, pour que le fil à surpiquer apparaisse sur l'endroit (comme pour la réalisation d'un ourlet double surpiqué, page 171).

Le point de couture utilisé pour les surpiqûres est généralement un point droit de 3 à 4 mm de long, que l'on réalise habituellement à 5 ou 6 mm du bord du tissu ou de la couture. Pensez à diminuer un peu la longueur du point quand vous piquez dans les courbes. Mais il existe une infinie variété de points décoratifs, qui sont autant de possibilités d'apporter une touche d'originalité à son travail.

Pour coudre toujours à la même distance et avoir des surpiqûres bien régulières, tracez la ligne de surpiqûre au crayon effaçable, ou bien utilisez un pied presseur multifonction en prenant comme repère une des marques du pied.

Pieds presseurs

Les pieds presseurs spéciaux peuvent vous faciliter cette couture : le pied ¼ d'*inch* pour patchwork (voir page 90), le pied pour ourlet invisible (voir page 112) ou encore les pieds avec guide de couture (réglable ou non, voir page 60) vous permettent de piquer toujours à même distance : il ne reste qu'à régler la position latérale de l'aiguille.

Cependant, il existe aussi des pieds spéciaux pour surpiqûre : la différence réside dans leur semelle, rainurée de façon à faciliter la surpiqûre sur les épaisseurs de tissu. Le pied pour surpiqûre à double niveau (de la marque Pfaff) gère la différence de niveaux grâce à un côté gauche surélevé par rapport au droit. Il compense ainsi la surépaisseur de tissu et permet une piqûre nette et précise car le pied presseur reste stable pendant la couture.

Dessus et dessous du pied pour surpiqûre à double niveau.

Cette poche en jean est assemblée et surpiquée en une seule et même opération par un point droit au fil à surpiquer et au moyen du pied pour surpiqûre à double niveau ; ce dernier permet de coudre tout au bord de la poche.

Vous pouvez également détourner le pied quilting (piqûre dans la couture) si celui-ci vous permet de coudre en déplaçant latéralement l'aiguille ; c'est un pied qui convient aussi très bien pour les surpiqûres nervures (voir page suivante).

Surpiqûre nervure

Variante de la surpiqûre classique, elle se réalise à 1 ou 2 mm du bord du tissu ou de la couture à souligner. Pour faciliter la couture, déplacez latéralement l'aiguille de façon à ce que le pied presseur appuie sur le plus de matière possible.

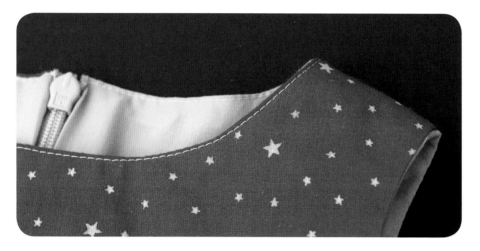

Même s'il peut être utilisé pour d'autres techniques (la surpiqûre simple des tissus très épais par exemple), le pied bord droit à double niveau (voir la photo ci-contre) se prête parfaitement à la surpiqûre nervure : surélevé du côté droit, il compense la différence de hauteur et permet de surpiquer au plus près du bord du tissu, tout en étant calé contre ce bord.

Surpiqûre double

Si vous souhaitez une belle surpiqûre double, pensez à l'aiguille double. Elle facilite le travail et fait gagner du temps ; son point de couture double sur l'endroit fait penser au point de recouvrement de la recouvreuse (voir page 65). À défaut, réalisez deux lignes de surpiqûres l'une après l'autre, mais en exécutant la seconde dans le sens inverse de la première : ceci évite les éventuels plissements du tissu.

Détail des surpiqûres d'une salopette en jean. La braguette est surpiquée à l'aiguille double jeans, la ceinture et les poches avec une aiguille *topstitch*.

Dessus et dessous du pied bord droit à double niveau de la marque Pfaff.

Surpiqûre nervure réalisée avec le pied bord droit
à double niveau.

Piqûre en creux

- **Aiguille et fil adaptés au tissu.**
- **Point droit centré de longueur 2 à 3 mm.**
- **Pied pour piqûre dans la couture.**

La piqûre en creux, aussi nommée **couture dans le creux** ou **piqûre dans la couture** (*stitch in the ditch* en anglais), est une couture presque invisible qui se réalise sur l'endroit du travail, dans le sillon d'une précédente couture. Cette piqûre est particulièrement utilisée pour la réalisation de ceintures, de poignets, d'encolures, le matelassage, la pose de biais (notamment pour la finition de Hong Kong, voir page 106)…

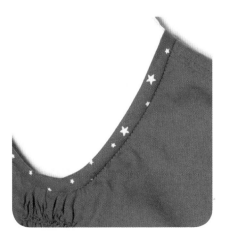

On utilise un pied pour piqûre dans la couture (ou pied quilting avec guide) pour en faciliter la réalisation. Ce pied possède un guide central sur l'avant, qui peut être en métal ou en plastique. L'aiguille pique précisément là où passe le guide : suivez le sillon de la couture précédente et la couture en creux se fait au bon endroit (fig. 1).

Le point de couture utilisé est le plus souvent le point droit, on peut parfois préférer un point zigzag pour les tissus extensibles si l'ouverture du pied presseur le permet.

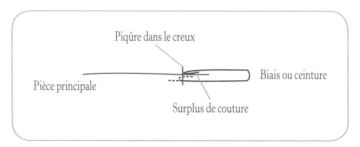

Fig. 1
Principe de la piqûre dans le creux.

Dans le cas de cette encolure réalisée avec un biais (fig. 2), la bande d'encolure a d'abord été assemblée endroit contre endroit avec l'encolure du vêtement. Puis la bande a été pliée sur l'envers de façon à dépasser la première piqûre : il faut que la piqûre en creux pique l'extrémité de la bande d'encolure. Sur l'envers, vous pouvez choisir de faire un repli au bord de la bande d'encolure ou bien de la laisser ouverte (c'est la solution la plus facile à coudre, l'autre option étant de replier la bande également sur l'envers, pour une finition plus élégante ; il faut alors replier la bande le plus précisément possible afin que la couture prenne le pli dans la piqûre).

Fig. 2
L'aiguille doit être alignée avec le guide central du pied.

Le pied pour ourlet invisible

Si vous ne possédez pas de pied pour piqûre dans la couture, utilisez le pied pour ourlet invisible, en prenant garde de bien placer l'aiguille, de façon qu'elle ne frotte pas sur l'axe central du pied presseur.

Côté fil, choisissez un fil de nature et de couleur convenant au tissu de votre projet. Ce type de couture se veut discret, il faut donc que le fil soit ton sur ton ou légèrement plus foncé que le tissu, ou pourquoi pas invisible (voir le fil invisible page 112).

Patchwork et matelassage

Le patchwork et le matelassage sont des techniques d'assemblage des tissus. Nous présentons ici leurs principales spécificités.

Patchwork

MÉMO

- **Aiguille universelle de taille adaptée au tissu.**
- **Fil de coton ou polyester.**
- **Point droit de longueur 2 mm.**
- **Pied patchwork.**

Pied patchwork ¼ d'*inch*.   Point droit.

Le patchwork est l'art d'assembler des morceaux de tissus de tailles, de couleurs ou de formes différentes.

La plupart du temps, il s'agit de pièces de coton, que vous pouvez coudre avec un fil de coton ou de polyester standard. Côté aiguille, adaptez sa taille à l'épaisseur de votre tissu. Les morceaux sont assemblés au point droit

de 2 à 2,5 mm de long ; ce réglage donne un point de couture assez serré, qui risque peu de se découdre.

L'une des règles importantes du patchwork est de choisir une marge de couture et de la conserver pour toutes les pièces de tissus qui vont être assemblées. Cela est nécessaire pour réussir un assemblage précis des pièces de tissus et obtenir des raccords harmonieux. Il est ainsi d'usage de préparer les pièces de tissus, marges de couture comprises, puis de les coudre les unes aux autres en respectant toujours la même marge.

Pour rendre cette couture plus aisée, vous pouvez utiliser un pied spécial pour patchwork, conçu pour piquer à une distance de 6 mm (¼ d'*inch*) du bord du tissu.

Les pieds patchwork peuvent prendre des formes différentes, mais tous facilitent la couture à égale distance du bord du tissu pour maintenir une marge de couture de ¼ d'*inch*, mesure usuelle dans le patchwork.

Pied patchwork ¼ d'*inch* de la marque Janome, avec guide de couture le long du bord gauche du pied.

Ce pied pour quilting ¼ d'*inch* de la marque Pfaff est transparent, ce qui se révèle fort pratique pour les coutures très minutieuses.

Pied pour quilting ¼ d'*inch* de la marque Pfaff.

Patchwork et double entraînement

Le raccord des différentes pièces de tissus demande beaucoup de minutie et, malgré tout le soin dont vous pourrez faire preuve, bien souvent les raccords se décalent de quelques millimètres pendant la couture. Pour pallier ce désagrément, utilisez le double entraînement (voir page 158).

Matelassage

Pied quilting.   Point droit.

Le matelassage, nommé **quilting** en anglais, est le fait d'assembler différentes épaisseurs de tissus. Le nom de cette piqûre a donné par extension le nom anglo-américain de *quilt* à l'objet fini (la courtepointe).

Il s'agit en général de piquer trois couches ensemble, dont une épaisse en molleton qui va donner le relief caractéristique du matelassage. La couture se fait à l'aide de points droits ou de points fantaisie, selon des tracés décoratifs : cet ensemble de piqûres donne alors du relief à l'ouvrage. La technique de ce piquage se rapproche de celle du piqué provençal ou du piqué marseillais et différentes épaisseurs de molleton sont dis-

Petit set de table (*mug rug*) au patchwork.

ponibles en fonction du rendu souhaité (voir le *Guide pratique du patchwork, de l'appliqué et du quilting*, Linda Clements, éditions Eyrolles, 2013).

Le matelassage se réalise au moyen d'une aiguille à quilter, sa pointe acérée facilite la traversée des épaisseurs, en particulier du molleton ou de l'ouate épaisse placée en sandwich entre le dessus réalisé en patchwork et le tissu de dessous (doublure).

Le double entraînement est d'une grande aide pour faire avancer toutes les épaisseurs de tissus à la même vitesse et ainsi éviter tout décalage (voir page 158).

Le fil quilting est en coton, solide et résistant. Un peu plus épais que le fil à coudre coton traditionnel, il se voit mieux et met ainsi en avant les motifs de quilting. Il est aussi utilisé dans la canette de la machine à coudre, car le matelassage est un travail qui doit être réversible. Si vous souhaitez utiliser des fils de différentes couleurs pour l'aiguille et pour la canette, prenez soin d'obtenir un point de couture bien équilibré en termes de tensions

Les aiguilles à quilter existent en différentes tailles, à choisir selon l'épaisseur de molleton.

de fil afin que le fil d'aiguille ne se voie pas sur l'envers et que le fil de canette ne se voie pas sur l'endroit.

Dans tous les cas, le point de couture du quilting nécessite un peu moins de tension de fil d'aiguille que pour une couture classique : en effet, il faut prendre en considération l'épaisseur du molleton.

Le quilting peut se réaliser en lignes droites ou au piqué libre (voir page 245). Pour le quilting en ligne droite, choisissez un point droit de 2,5 mm de long. Plus le projet est épais, plus vous pouvez allonger la longueur du point de couture. Votre machine peut proposer d'autres points de couture de quilting.

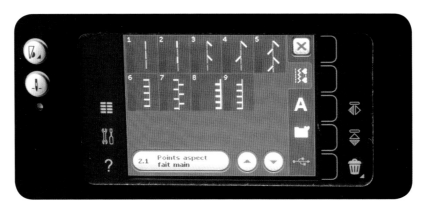

Les points traditionnels du quilting.

Quilter dans les lignes de patchwork

Le quilting peut se faire dans les lignes d'assemblage du patchwork. Dans ce cas, il faut essayer de commencer par les piqûres les plus au centre, avant de procéder aux piqûres situées au pourtour.

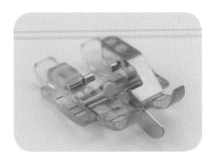

Le pied quilting (ou pied pour piqûre dans la couture) est particulièrement adapté à ce matelassage discret. Il permet de réaliser une piqûre parfaitement droite dans une précédente couture, le guide central guidant la seconde couture.

Ce pied Pfaff pour piqûre dans la couture est transparent, offrant une bonne visibilité pendant la couture.

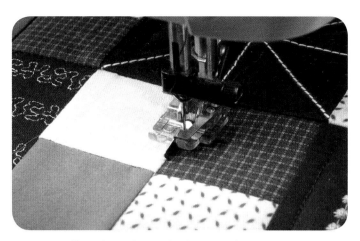

Piqûre de matelassage dans la couture du patchwork,
avec un pied quilting à guide central.

Quilter en soulignant les contours

Le quilting au point droit peut être réalisé le long des formes travaillées, pour en souligner les contours : piquez alors à 6 mm (¼ d'*inch*) de la couture à souligner, à l'extérieur ou à l'intérieur, ou encore de chaque côté.

Ce pied quilting avec guide central, de la marque Janome, permet de quilter parallèlement à une couture : grâce à son ouverture large, l'aiguille peut être déplacée latéralement pour piquer à distance constante de la couture d'assemblage du patchwork que suit le guide.

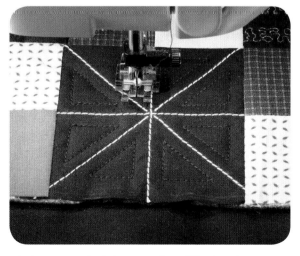

La transparence du pied presseur et ses différents repères rouges
facilitent le quilting à distance constante.

Quilter en grille

Enfin, l'ensemble du projet peut être quilté en grille ou en treillis : matelassez avec des lignes parallèles et perpendiculaires qui forment une grille sur toute la surface du projet ou encore piquez des lignes diagonales sur l'ensemble du patchwork pour obtenir un treillis.

Utilisez le double entraînement

Si, pendant le matelassage, le tissu du dessus plisse et se décale par rapport aux autres épaisseurs bien que vous ayez commencé le travail par le centre du projet, installez le pied double entraînement ou activez ce système sur votre machine à coudre.

Coudre au point zigzag

Le point zigzag est le point complémentaire du point droit ; à eux deux ils composent tous les points de la machine à coudre.

Le point zigzag convient à tout type de tissus et apparaît dans de très nombreuses techniques abordées dans cet ouvrage, comme le surfilage, la réalisation des boutonnières, l'assemblage des tissus élastiques, le point de bourdon des appliqués.

Il se caractérise par le travail latéral de l'aiguille qui pique une fois à droite, une fois à gauche. Le déplacement latéral de l'aiguille s'appelle un jeté d'aiguille ; pour un point de 4 mm de large, l'aiguille pique à 2 mm vers la droite et 2 mm vers la gauche par rapport à la position centrale de l'aiguille.

Point zigzag.

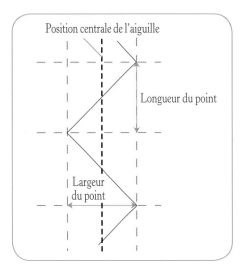

La longueur du point zigzag est la distance (sur une ligne droite imaginaire) qui sépare deux points consécutifs. Sa largeur est la distance (en projection orthogonale) séparant deux points consécutifs.

La longueur du point et sa largeur peuvent être allongées ou réduites à votre convenance ; pour vous donner un ordre d'idée, voici quelques mesures :

- point zigzag classique : longueur 1,5 mm, largeur 3 mm ;
- point zigzag large : longueur 2 mm, largeur 5 mm ;
- point zigzag bourdon : longueur 0,3 mm, largeur 5 mm.

La tension du fil d'aiguille doit être un peu relâchée, celui-ci doit légèrement se voir sur l'envers (voir page 56).

Pied presseur pour point zigzag

Le point zigzag se coud en utilisant le pied multifonction (qui peut être aussi appelé pied standard ou pied zigzag) : c'est un pied très polyvalent qui est installé par défaut sur la machine à coudre neuve. C'est probablement celui que vous avez l'habitude d'utiliser puisqu'il permet la réalisation de pratiquement toutes les techniques de couture et l'exécution de très nombreux points de couture, fantaisie comme utiles, même si ce n'est pas toujours le pied le plus approprié.

Il dispose d'une large ouverture pour laisser passer l'aiguille et permet la réalisation d'un point zigzag large, jusqu'à 7 mm voire 9 mm sur les dernières machines à coudre haut de gamme. Il peut être en métal ou combiner plastique et métal. Les pieds presseurs comportant une partie en plastique transparent sont très pratiques car ils offrent une meilleure visibilité pour la piqûre. Sa semelle présente une légère rainure qui permet au pied de glisser sur des points de couture ayant un peu de relief, sans les abîmer.

 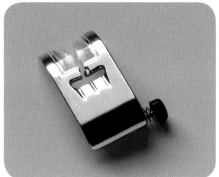

Dessus et dessous du pied multifonction.

Arrêt du point zigzag

Pour sécuriser les début et fin de couture au point zigzag, réduisez la longueur du point de couture jusqu'à 0 : l'aiguille coud sur place. Faites ainsi deux ou trois points avant de régler la longueur du point choisie.

Finitions décoratives

Le point zigzag permet des finitions décoratives intéressantes ; à chaque fois que le pied presseur et la plaque d'aiguille vous le permettent, testez le point zigzag au lieu du point droit et découvrez une alternative en termes de finition. Par exemple, pour le roulotté (voir page 165), si votre pied presseur pour roulotté le permet, configurez le point zigzag et obtenez une finition différente pour ourler tout type de tissus fins.

Endroit et envers d'une batiste ourlée au roulotté avec un point zigzag

Surpiqûre au point zigzag avec fil à broder Poly Sheen de la marque Mettler.

Coudre de l'élastique

C'est avec le point zigzag que se cousent les élastiques car le dessin en zigzag permet à la couture de maintenir l'élastique bien à plat, tout en conservant son élasticité. On préférera même, si la machine à coudre le propose, le zigzag multiple, également appelé point zigzag piqué, point zigzag double ou triple, point zigzag trois points, etc.

Point zigzag multiple.
L'aiguille pique au moins une fois entre les deux extrémités du point.

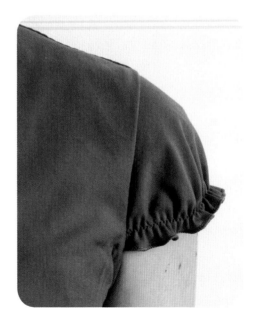

Choisissez une aiguille universelle, ou bien une aiguille microtex si l'aiguille universelle peine à transpercer l'élastique. Un fil polyester convient bien à la couture des élastiques.

La longueur de l'élastique à poser sur le tissu est toujours inférieure à celle du tissu, il faut donc tendre l'élastique pendant la couture. Pour tendre réguliè-rement l'élastique et que le tissu soit réparti uniformément il y a deux façons de procéder, présentées ci-dessous.

Méthode des quarts

Mesurez la ligne sur laquelle doit être cousu l'élastique et divisez-la en quatre parties égales. Mesurez le morceau d'élastique que vous souhaitez coudre et divisez cette mesure en quatre parties égales (fig. 1).

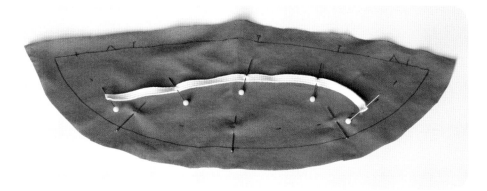

Fig. 1

En pointillés, la ligne de couture de l'élastique sur le tissu est divisée en quatre tronçons égaux au moyen d'épingles fines ; au-dessus, l'élastique est partagé en quatre parts égales marquées par des épingles à tête ronde.

Positionnez les extrémités du morceau d'élastique sur les extrémités de la ligne qui va recevoir l'élastique, puis faites correspondre chaque repère de l'élastique avec le repère correspondant de la ligne. Maintenez en place avec des épingles : le tissu plisse entre chaque repère (fig. 2).

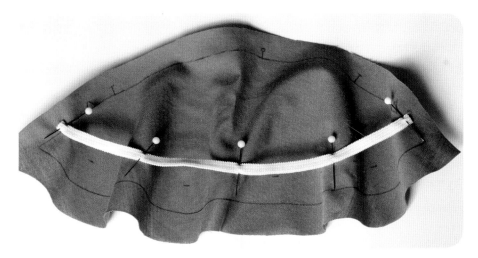

Fig. 2

Placez une des extrémités de l'élastique sous le pied presseur, configurez un point zigzag ou zigzag multiple d'une largeur juste inférieure à la largeur de l'élastique et de 3 mm de long. Piquez en commençant par sécuriser la couture, puis poursuivez la couture en étirant l'élastique jusqu'au prochain repère (fig. 3).

Cette technique peut être employée à chaque fois que vous avez besoin de poser un élastique, quel que soit le projet ; pour de grandes longueurs, par exemple pour une ceinture, n'hésitez pas à le diviser en huit parties ou plus.

Fig. 3
Pensez à centrer le point de couture en vous aidant du milieu du pied presseur : alignez ce dernier avec le milieu de l'élastique.

Ourlet et élastique

Si vous souhaitez placer un élastique à proximité d'un bord (par exemple une manche, un bas de pantalon...), pensez à réaliser la finition du bord avant de poser l'élastique. La finition après coup peut en effet se révéler plus délicate.

96

Pied pour élastique

Le pied pour élastique sert pour la pose des élastiques de 6 à 12 mm de large. Il permet d'appliquer l'élastique sur le tissu en exerçant une tension constante sur l'élastique ; on obtient donc un élastique posé de façon régulière.

Pied pour élastique.

La tension est réglable au moyen d'une petite molette : plus le chiffre est élevé, plus la tension est importante, donc plus l'élastique est étiré et le tissu froncé.

Réalisez un échantillon pour régler la tension du pied pour élastique, afin d'obtenir le résultat escompté.

Une fois l'élastique glissé et coincé dans le pied, piquez au point zigzag multiple.

Sur l'endroit on obtient une jolie fronce, souple et confortable. Les points zigzag paraissent très rapprochés puisque le tissu est froncé.

Configurez un point zigzag ou zigzag multiple un petit peu moins large que l'élastique et piquez : le pied pour élastique guide l'élastique sous l'aiguille.

Élastique et fil de canette

Pensez à choisir un fil de canette adapté, car c'est lui qui est vu sur l'endroit du travail, l'élastique étant le plus souvent cousu sur l'envers.

Le point zigzag est aussi le point de base du surfilage : nous verrons dans le chapitre suivant les différentes techniques existantes pour surfiler, ainsi que les autres méthodes que propose la machine à coudre pour la finition des bords des tissus.

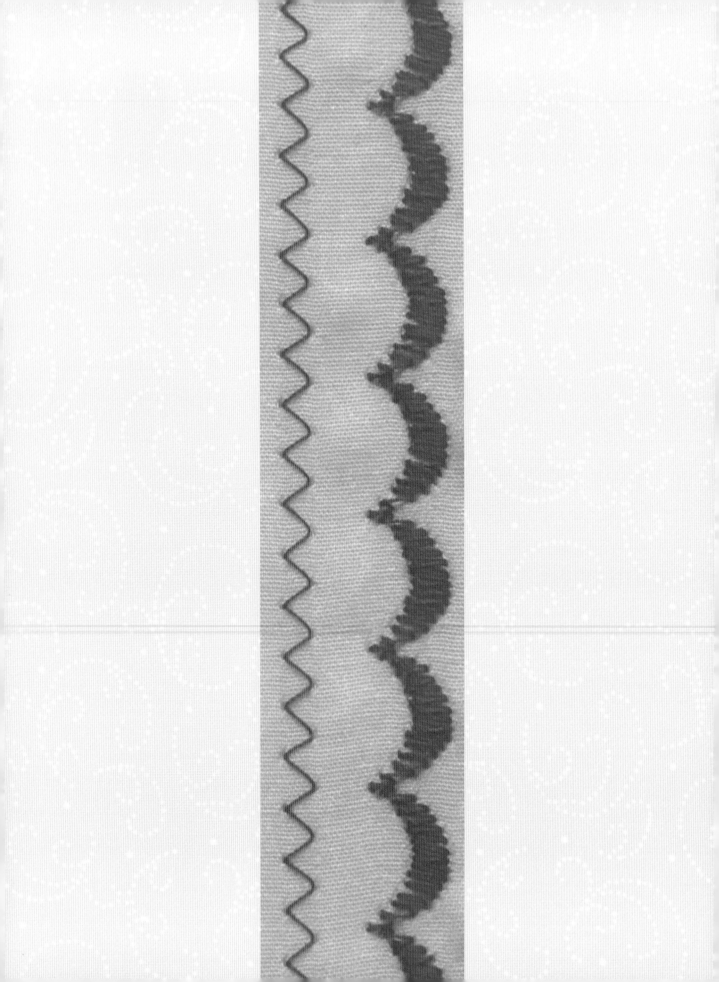

Réaliser la finition des bords

En couture, la finition des bords est une étape importante, qu'il s'agisse de coudre les surplus de couture, de poser du biais ou encore de réaliser des ourlets.

Heureusement, de nombreuses techniques sont à votre disposition et la machine à coudre et ses accessoires facilitent leur mise en œuvre.

Finition des surplus de couture

Si le tissu ne s'effiloche pas ou très peu, les surplus de couture (appelés aussi marges de couture) peuvent être laissés à cru ou, pour un rendu plus esthétique, coupés aux ciseaux cranteurs. Mais si la trame du tissu se défait, c'est-à-dire si les fils se détachent un à un, il est préférable de réaliser une finition des bords des surplus de couture.

S'affranchir de la finition des surplus

Pour éviter la finition des bords des surplus de couture, pensez à la couture anglaise (voir page 163) ou encore à la couture rabattue (voir page 77), techniques qui enferment les bords du tissu dans la couture d'assemblage.

Surfiler

Surfiler consiste à appliquer une couture sur le bord d'un tissu pour éviter qu'il ne s'effiloche ; cette couture emprisonne la trame du tissu, qui ne peut alors plus se défaire.

Surjeter consiste à assembler des tissus tout en finissant leur bord.

Quand surfiler ?

Dans le cas d'une couture ouverte, on surfile toutes les pièces avant de les assembler les unes aux autres. On peut ainsi procéder à un surfilage en chapelet : toutes les pièces de tissu sont surfilées à la chaîne, juste après avoir été coupées.

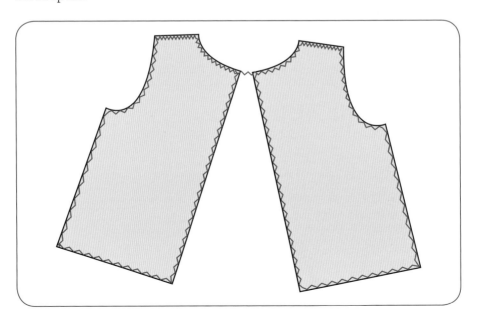

Pour une couture fermée, on surfile les deux épaisseurs de tissu ensemble, après l'assemblage (voir page 72). C'est cette technique qu'il convient d'utiliser pour les emmanchures, les entrejambes, et toute couture qui sera surpiquée ou crantée. En effet, si la couture d'assemblage nécessite d'être crantée, procédez d'abord

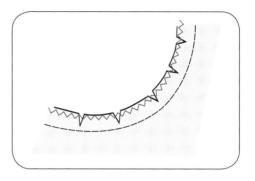

au crantage (voir page 65), puis au surfilage. Dans tous les cas, le surfilage intervient après le crantage : en effet, si on crantait le surfilage, on couperait les fils et le point de couture finirait par se défaire avec le temps.

Surfiler à la surjeteuse

La surjeteuse permet de surfiler de façon quasi-professionnelle tous les types de tissus facilement. Si vous êtes intéressé par le surfilage à la surjeteuse, retrouvez les différentes techniques dans le *Guide de couture à la surjeteuse et à la recouvreuse*, de Christelle Beneytout et Sandra Guernier, aux éditions Eyrolles.

Préparer la couture

101

MÉMO
- **Aiguille et fil adaptés au tissu.**
- **Point zigzag ou point de surfilage.**
- **Pied multifonction ou pied surjet.**

Utilisez une aiguille et un fil adaptés au tissu ; cependant le fil peut être choisi plus fin que d'habitude, en particulier pour un tissu fin ou très fin sur lequel il devra se faire très discret.

Les pieds presseurs adaptés au surfilage sont les pieds qui permettent de piquer le point zigzag ; en effet tous les points de surfilage utilisent d'une manière ou d'une autre ce point de base de la machine à coudre. Vous pouvez utiliser le pied multifonction de la machine à coudre ou le pied surjet.

La large ouverture au niveau de l'aiguille permet la réalisation des points de surfilage, même les plus larges.

Le pied surjet possède un guide sur lequel vous pouvez aligner le bord du tissu pour rendre la couture plus aisée.

Le pied surjet comporte deux petites barres en métal qui permettent, en empêchant le tissu de rouler, d'obtenir un point de surfilage bien plat.

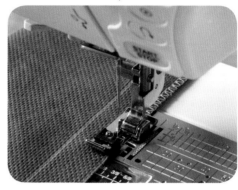

Alignez la petite barre en métal sur le bord du tissu pour réaliser un point de surfilage juste sur le bord.

Il existe plusieurs points de surfilage et ils diffèrent souvent d'une machine à l'autre. Il serait fastidieux de les passer en revue ici, aussi nous présenterons seulement les plus courants.

Point zigzag

Configurez un point zigzag, sachant que la longueur et la largeur du point dépendent du poids du tissu et de son degré d'effilochage :

• plus le tissu s'effiloche, plus le point zigzag doit être serré, diminuez donc la longueur du point ;

• plus le tissu est lourd, plus le point zigzag peut être large : augmentez sa largeur.

Longueur et largeur de point indicatives pour un point de surfilage efficace :

• 2,5 mm de long ;

• 2,5 mm de large pour les tissus fins et moyens ;

• 4 ou 5 mm de large pour les tissus épais.

Point zigzag.

Pensez à réduire la tension exercée sur le fil d'aiguille. Placez le pied presseur multifonction ou le pied surjet sur le porte-pied de la machine à coudre. Placez le surplus de couture sous le pied presseur et piquez.

Sur cette couture ouverte, les bords sont surfilés au point zigzag. Pour ne pas faire plisser le tissu très fin, le point zigzag est réalisé à distance du bord. Le trop plein de tissu peut être recoupé après la couture.

De l'utilité du zigzag multiple

Si le point zigzag fait plisser un tissu trop fin ou trop souple, essayez un point zigzag multiple (voir page 94) assez large : le fait que le point de couture soit séquencé évitera que le tissu ne soit ramassé sous le surfilage.

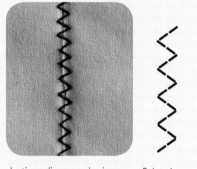

Le tissu plisse sous le zigzag : pour y remédier, utilisez un point zigzag multiple.

Point zigzag multiple.

Quelques autres points de surfilage

D'autres points de surfilage peuvent être utilisés, selon ceux dont dispose votre machine à coudre.

Tissu fin à moyen

Le point de surfilage des tissus fins à moyens (dessin ci-contre) associe un point zigzag à un point droit. Il sert également à la finition des bords des tissus moyens à épais ne s'effilochant pas trop.

Tissu épais s'effilochant

Ce point (voir dessin ci-contre) permet un surfilage plus couvrant, il ressemble beaucoup au précédent, à la différence que le zigzag est doublé. Cette particularité permet d'exécuter la finition des tissus épais qui ont tendance à beaucoup s'effilocher.

Tissu extensible

Pour la finition des bords d'un tissu élastique, vous pouvez utiliser ce point qui ressemble à un demi-épi de blé (voir dessin ci-contre). Il permet également de réaliser la finition des bords d'un tissu tricoté qui ont tendance à se défaire.

Procéder au surfilage

Quel que soit le point de surfilage choisi, voici comment procéder. Pour être réussi, le point de surfilage doit être réalisé au bord du tissu. Placez le tissu sous le pied presseur de façon à ce que, quand l'aiguille pique le plus à droite, elle pique tout au bord du tissu.

Pour vous aider, vous pouvez, au moment de débuter la couture, procéder comme suit :

• levez le pied presseur, faites descendre l'aiguille dans sa position la plus à droite au moyen du volant de la machine à coudre, jusqu'à ce qu'elle traverse la plaque d'aiguille ;

• venez placer le bord du tissu à surfiler contre l'aiguille et abaissez le pied presseur ;

• commencez le surfilage.

104

Avec des tissus fins ou très fins, évitez que le point le plus à droite ne se fasse dans le vide, afin que le point de couture reste bien à plat. En effet, le tissu n'offre pas assez de résistance aux fils du point de couture et le tissu roule sous le surfilage, créant une épaisseur disgracieuse. Il est alors préférable de réaliser le point au milieu du surplus de couture et de recouper ensuite aux ciseaux le débord de tissu, au bord du point. Il faut bien sûr faire attention de ne pas couper le point de couture pendant cette opération.

Replier les surplus

Au lieu d'un surfilage, réalisez – avant l'assemblage – un repli du surplus de couture de quelques millimètres, envers contre envers, et piquez-le au point droit pour le maintenir en place. Une fois les deux pièces de tissu ourlées de cette façon, assemblez-les endroit contre endroit.

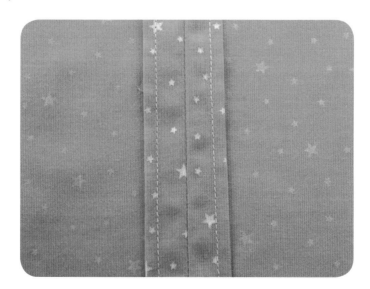

105

Méthode de grand-mère

Ma grand-mère utilisait cette technique pour avoir des surplus de couture propres sur l'envers des réalisations parce que sa machine n'avait pas de point zigzag. Si votre machine à coudre a des difficultés avec les points de surfilage, essayez cette méthode.

Prévoyez une marge de couture suffisante ; en effet, en deçà de 1 cm, il est moins aisé de réaliser cette technique, car on dispose de moins de tissu.

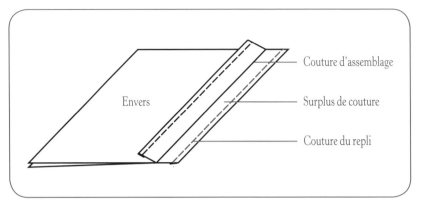

Schéma de principe du repli des surplus.

Une autre possibilité : l'ourlet roulotté

Pour une finition encore plus propre sur des tissus très fins, utilisez le pied ourleur et finissez les surplus de couture avec un roulotté. Cette technique est plus délicate à mettre en œuvre mais le résultat est très soigné (voir page 165).

Poser du biais

MÉMO
- • Aiguille et fil adaptés au tissu.
- • Point de longueur 3 mm.
- • Pied multifonction et pied piqûre dans la couture.

Border de biais les surplus de couture offre une finition très soignée, voire professionnelle, qui convient aux tissus moyens à lourds. C'est une solution élégante pour éviter la pose d'une doublure sur un manteau, une veste, ou encore pour finir l'envers d'une jupe ou d'un pantalon.

Appelée **finition de Hong Kong** ou **finition chinoise**, elle consiste à enfermer les surplus de couture dans une bande de biais. Cette dernière est le plus souvent coupée dans de la soie ou de la doublure, mais un tissu léger convient aussi très bien.

106

Utilisez du biais de 32 mm de large au moins (biais du commerce ou biais coupé par vos soins). Préparez des bandes de tissu coupées dans le biais ou, si vous utilisez du biais acheté en boutique, ouvrez-le au fer à repasser. Le biais peut être choisi dans les mêmes nuances de couleur que le tissu à border ou, à l'inverse, en contraste avec ce dernier, voire imprimé.

Prévoir les marges de couture

Pour réaliser ce type de finition sans encombre, les marges de couture doivent être assez larges : prévoyez des surplus d'environ 1,5 cm de large.

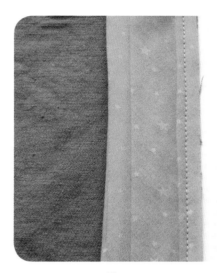

Fig. 1

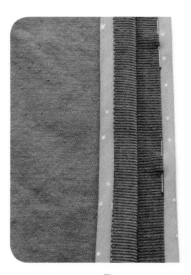

Fig. 2

Le surplus de gauche est déjà réalisé, le surplus de droite est bordé par le biais : il est épinglé, prêt à recevoir la seconde et dernière piqûre.

Le biais se pose sur une couture ouverte (voir page 72). Piquez la bande de biais sur le surplus de tissu, endroit contre endroit, en faisant correspondre les bords (fig. 1). La couture se fait à 6 mm du bord, voire 3 mm si le tissu est fin. (On voit sur la figure 1 les plis du biais acheté dans le commerce.)

Couchez la bande de biais par-dessus le bord à couvrir. Épinglez pour maintenir en place la bande de biais sur l'envers du tissu (fig. 2) ; inutile de prévoir un repli pour le biais sur cette face qui sera cachée.

| Fig. 3 | Fig. 4 |

Placez le pied pour piqûre dans la couture (voir page 85) sur le porte-pied de la machine à coudre et piquez toutes les épaisseurs dans le creux de la couture précédente (fig. 3).

Sur l'envers, coupez aux ciseaux l'excès de biais au ras de la piqûre (fig. 4). La bande ayant été coupée dans le biais, il y a peu de risque d'effilochage.

Le pied pose-biais

Si vous possédez un pied pose-biais (voir page 118), utilisez-le pour poser du biais du commerce ou du biais maison : vous gagnerez du temps et obtiendrez une finition similaire.

Ourlets

Les ourlets sont des replis que l'on coud pour finir le bord d'un tissu. Il existe de multiples façons de réaliser un ourlet.

Ourler les tissus fins

Retrouvez page 165 tous les détails de la réalisation de l'ourlet roulotté, finition idéale pour les tissus fins.

Ourlet simple

Également appelé **ourlet plat**, l'ourlet simple consiste à replier une seule fois le tissu envers contre envers et à fixer l'ourlet ainsi constitué grâce à une piqûre.

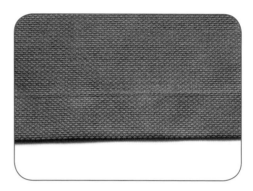

Le plus souvent, l'ourlet simple est cousu au point droit, mais rien n'empêche d'utiliser un point zig-zag ou un autre point pour une finition différente.

Réduisez le surplus de couture à 1,5 cm (selon les projets et les matières travaillées, l'ourlet peut être plus petit ou plus large) et surfilez le bord si nécessaire (voir les points de surfilage page 102).

109

Puis pliez l'ourlet au fer à repasser pour le marquer (fig. 1). Cette étape est essentielle : procédez avec soin afin d'obtenir une ligne régulière et sans forcer sur le tissu pour qu'il ne gondole pas. Enfin, piquez l'ourlet au point droit.

Fig. 1
Replier au fer à repasser le bord libre de l'ourlet.

Il est possible de coudre l'ourlet en ayant soit l'envers soit l'endroit face à soi : si le point de couture est bien équilibré en tension, la couture est aussi régulière sur l'envers que sur l'endroit. En travaillant sur l'envers du vêtement (fig. 2), vous êtes sûr de toujours prendre le surplus de couture dans la piqûre. Piquez à 2 mm du bord surfilé. Pensez à choisir un fil de canette adapté puisque c'est lui qui se verra sur l'endroit du travail, ainsi qu'à ajuster la tension du fil d'aiguille pour que le point de couture soit régulier.

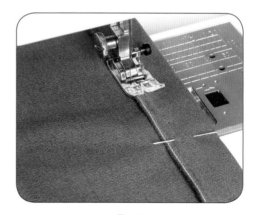

Fig. 2

Si vous travaillez avec l'endroit face à vous (fig. 3), aidez-vous alors d'un guide de couture pour coudre toujours à la même distance (ou l'une des autres solutions évoquées page 59). Si vous avez replié un ourlet de 3 cm de haut, piquez la couture à 2,7 cm du pli de l'ourlet.

Fig. 3
Ce guide de couture aimanté s'utilise seulement avec les machines à coudre mécaniques.

L'ourlet double

Le double ourlet consiste à plier une seconde fois le tissu sur l'envers, pour enfermer le bord à cru : retrouvez les étapes de sa réalisation au chapitre 6 (double ourlet surpiqué, page 171).

Ourlet à l'aiguille double

MÉMO
- Aiguille double et fil adaptés au tissu.
- Point droit.
- Pied multifonction.

Installez l'aiguille double ainsi que les deux fils d'aiguille en mettant en place un second porte-bobine ou en utilisant un porte-cône (voir page 66).

Préparez le tissu : surfilez le bord libre si la matière s'effiloche beaucoup et pliez au fer à repasser l'ourlet envers contre envers.

Piquez à l'aiguille double sur l'endroit du tissu. Aidez-vous d'un guide de couture pour coudre toujours à la même distance du repli de l'ourlet (fig. 1).

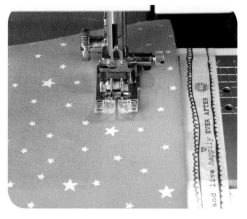

Fig. 1
Ici, une bande de ruban à masquer
sert de guide de couture.

Fig. 2
Envers du point de couture à l'aiguille double : le fil de
canette fait le va-et-vient entre les deux fils d'aiguille.

L'aiguille gauche doit piquer le plus près possible du bord libre du tissu. L'envers du point de couture peut servir de surfilage pour les tissus qui s'effilochent peu (fig. 2).

Pour la réalisation d'un ourlet à l'aiguille double sur un tissu jersey, retrouvez les explications en page 181.

Ourlet invisible

MÉMO
- **Aiguille et fil adaptés au tissu ; aiguille une taille en dessous de la taille habituelle.**
- **Point d'ourlet invisible.**
- **Pied pour ourlet invisible.**

L'ourlet invisible ou **ourlet caché** permet de finir un bord au moyen d'une couture extrêmement discrète. Habituellement exécutée à la main, celle-ci peut être réalisée aussi à la machine à coudre à l'aide du pied pour ourlet invisible et du point de couture du même nom.

Point d'ourlet
invisible.

Le point de couture pour ourlet invisible se compose de points droits (qui forment l'attache sur le bord surfilé) et de jetés d'aiguille (point zigzag) piqués à intervalles réguliers par la machine à coudre : c'est quand l'aiguille réalise ce jeté (c'est-à-dire quand elle pique le plus à gauche), que l'ourlet est cousu.

Vous pouvez sur certaines machines régler la fréquence de ce point zigzag et ainsi ajuster le point en fonction de l'épaisseur du tissu : plus le tissu est lourd, plus le zigzag devra venir piquer souvent pour maintenir l'ourlet en place.

Pour un tissu moyen, configurez un point de couture qui pique à gauche tous les 2,5 à 3 cm.

Pour faciliter la réalisation de cette technique de couture, utilisez le pied pour couture invisible fourni avec votre machine à coudre : il se caractérise soit par un guide central qui traverse l'épaisseur du pied pour guider la couture, soit par une molette (le plus souvent de couleur et réglable) à placer dans l'alignement du pli du tissu.

Pied pour ourlet invisible de la marque Pfaff.

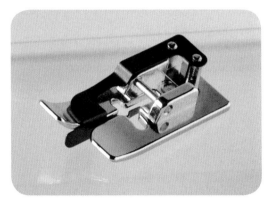

Pied pour ourlet invisible de la marque Janome ; à la différence du pied pour piqûre dans la couture, ici l'axe central se prolonge dans l'ouverture du passage d'aiguille. L'aiguille pique de part et d'autre de cet axe pour réaliser le point d'ourlet invisible.

Choisissez une aiguille et un fil adaptés à votre tissu. La couleur du fil est importante, efforcez-vous de trouver la teinte la plus proche possible du tissu, ou à défaut légèrement plus foncée. Surtout ne prenez pas un fil plus clair que le tissu si vous souhaitez une couture invisible. Choisissez une aiguille plus fine qu'habituellement, le but étant de produire une couture la plus discrète possible.

Le fil invisible

Fumé ou transparent blanc, le fil invisible peut être en nylon ou en polyester et assure des coutures discrètes. Il ne supporte pas bien le repassage : pensez à utiliser une pattemouille entre ce fil et la semelle du fer à repasser. Il ne s'utilise habituellement que dans l'aiguille. Utilisez-le pour les ourlets invisibles, le matelassage discret ou encore les techniques de broderie qui nécessitent un fil discret (voir chapitre 7, page 226).

112

Les points de l'ourlet invisible ne sont vraiment invisibles que sur les tissus moyens à épais. Sur les étoffes légères et fines il est difficile de réaliser un point totalement invisible : en fonction de la couleur du tissu, essayez le fil invisible ou bien tentez de trouver le coloris exact de fil qui se fondra dans la couleur du tissu.

Préparez le bord à ourler en le surfilant ou en utilisant une autre méthode de finition des bords. Marquez l'ourlet au fer à repasser en pliant le tissu envers contre envers. Repliez le tissu sur lui-même, endroit contre endroit, sur la ligne de couture prévue pour la piqûre de l'ourlet (voir schéma ci-dessous). Laissez une distance de moins de 1 cm entre le bord surfilé et le pli : c'est dans cet espace que vous réalisez le point d'ourlet invisible.

Réglez le point ou le pied-de-biche afin que, lorsque l'aiguille pique dans le pli, elle pique le plus près possible du bord. Plus elle pique près du pli, plus le point visible sur l'endroit est petit, donc invisible… Mais attention, si l'aiguille ne pique pas dans le pli, l'ourlet ne sera pas maintenu !

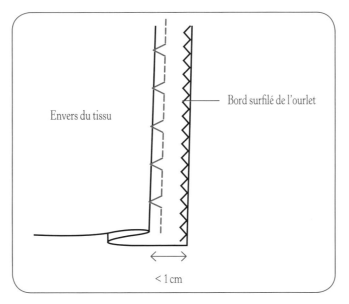

Envers du tissu

Bord surfilé de l'ourlet

< 1 cm

Schéma de principe de la piqûre de l'ourlet invisible.

Le pied presseur est positionné parallèlement au pli du tissu. Cousez lentement, en particulier au moment de réaliser l'ourlet à hauteur des coutures d'assemblage : les surépaisseurs et l'orientation des surplus de couture peuvent nécessiter alors de s'arrêter et de soulever le pied presseur avant de continuer la couture. Dépliez le tissu et repassez.

Votre machine à coudre propose peut-être un second point d'ourlet invisible destiné aux tissus élastiques.

La clé de la réussite de cet ourlet réside dans la précision du pliage du tissu : le repassage est indispensable pour réaliser un tel ourlet. La précision du point joue également beaucoup : cousez lentement pour maîtriser au maximum l'endroit où se fait le jeté d'aiguille.

Le point d'ourlet invisible une fois réalisé. Ici, le fil contraste avec le tissu pour les besoins de l'ouvrage, mais utilisez un fil ton sur ton !

Ourlet décoratif

Utilisez le point de couture invisible pour réaliser un ourlet décoratif dans le style du point flatlock de la surjeteuse sur un tissu tissé. Choisissez un fil contrastant avec le tissu et configurez le point d'ourlet invisible afin que sur l'endroit apparaissent de petites barres suffisamment grandes pour être remarquées.

Pour plus de détails sur ce point de la surjeteuse, voir le *Guide de couture à la surjeteuse et à la recouvreuse*, de Christelle Beneytout et Sandra Guernier, aux éditions Eyrolles.

Ourlet rapporté

MÉMO
- **Aiguille et fil adaptés au tissu.**
- **Point droit.**
- **Pied point droit ou pied multifonction.**

On voit ici les deux faces d'un même travail : en bas, l'envers de l'ourlet avec la sous-piqûre d'abord (invisible sur l'endroit) puis la piqûre d'ourlet qui maintient en place le biais. Au-dessus, l'endroit de l'ourlet : un fil moins contrastant peut être employé pour une finition plus discrète.

C'est une façon facile et rapide d'ourler un vêtement au bord arrondi, pour lequel l'ourlet simple et le double ourlet ne sont pas des techniques adaptées. On utilise pour cela du biais. Prévoyez comme surplus d'ourlet l'équivalent du repli du biais (si celui-ci est préplié) ou 0,5 cm si le biais est plat.

Alignez le tissu et le biais endroit contre endroit et bord à bord, et piquez (fig. 1). Réalisez ensuite une sous-piqûre (voir page 76) pour maintenir ensemble surplus de couture et biais. Couchez alors le biais sur l'envers du tissu au moyen du fer à repasser, épinglez et piquez au point droit à égale distance du bord, en vérifiant que le biais est toujours bien pris dans la couture (fig. 2).

Fig. 1
Pose du biais préplié, endroit contre endroit :
la piqûre se fait dans la pliure du biais.

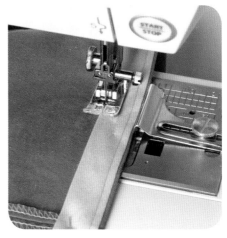

Fig. 2
Un guide réglable facilite la couture de l'ourlet.

Une variante de l'ourlet rapporté

Le faux ourlet est une autre solution pour finir le bas d'une jupe (ou d'une robe) coupée dans le biais ou très ample. Il s'agit de remplacer le biais de la précédente technique par une parementure, dessinée à partir du patron du vêtement. On obtient ainsi une bande de tissu coupée avec le même arrondi que celui du vêtement à ourler. Assemblez-le au bas du vêtement comme le biais ci-dessus.

Ourlet bordé de biais

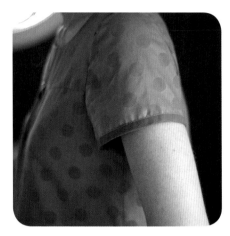

Le biais est un élément intéressant pour la finition d'un bord et apporte une touche décorative au projet.

Le biais

Le biais, en passementerie, est une bande de tissu tissé, découpée dans le biais du tissu, c'est-à-dire à 45° par rapport au droit-fil : ceci lui confère de l'élasticité (tirez les extrémités d'un morceau de biais, il s'étend). Le biais est vendu en mercerie, la plupart du temps préplié en trois parties. Vous trouverez un large choix aussi bien de biais unis que d'imprimés. Vous pouvez aussi le confectionner vous-même en découpant pour vos projets des bandes de la largeur qui convient, dans le tissu de votre choix. Si vous souhaitez le préplier, munissez-vous d'un appareil à biais (visible ci-contre) : utilisé avec un fer à repasser, il prépare la bande de biais en pliant les deux bords en une seule étape.

Poser un biais avec couture apparente

Sans pied spécial, vous pouvez coudre un biais en deux étapes :

• sur l'envers du tissu, épinglez le biais, endroit du biais sur envers du tissu et piquez-le dans la pliure (fig. 1). Rabattez-le sur l'endroit et marquez avec le fer à repasser avant d'épingler ;

Fig. 1

Fig. 2
Sur l'endroit, le biais est définitivement
piqué à 1 mm de son repli.

Le biais cousu.

• sur l'endroit, piquez toutes les épaisseurs ensemble en suivant le bord replié du biais (fig. 2).

Poser du biais sur un angle droit

Utilisez un pied multifonction transparent qui vous permette de bien voir où vous piquez. Déterminez la valeur de couture (*a* sur le schéma), c'est-à-dire la distance à laquelle vous allez piquer le biais : c'est cette mesure qui garantit la bonne réussite de l'angle.

Cousez le biais endroit contre endroit, tissus bord à bord, sur le premier côté de l'angle, en stoppant la couture à une valeur de couture du bord (schéma 1).

Repliez le biais vers l'extérieur en formant un angle à 45° avec le biais (schéma 2). Puis rabattez-le, toujours sur l'endroit du tissu, de façon à ce qu'il soit bord à bord avec les côtés du tissu (schéma 3).

Reprenez la couture en plaçant l'aiguille à une valeur de couture du second côté de l'angle.

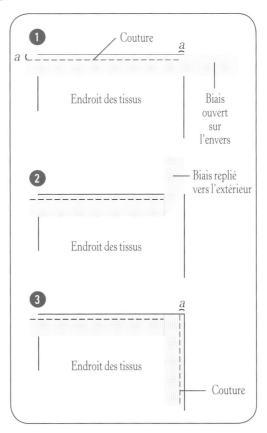

Schéma du déroulement de la pose.

Une fois les coutures finies, retournez le biais sur l'envers du tissu et placez le biais pour qu'il forme aussi un joli angle sur l'envers.

Terminez en piquant en place le biais à cheval sur le tissu, en prenant toutes les épaisseurs du biais dans la couture.

Coudre du biais avec un pied spécial

Que vous confectionniez votre biais vous-même ou que vous l'ayez acheté dans le commerce, le pied pour biais simplifie leur couture. Il vous permet de border de grandes longueurs de tissu en une seule étape.

Le pied pour biais standard sert à la pose du biais de 6 ou 10 mm de large une fois cousu. Vous trouverez aussi des pieds pour biais réglables : au moyen d'une molette, on ajuste la largeur du cornet à la taille du biais qui va être cousu.

Tous fonctionnent de la même façon : ils sont munis d'un cornet dans lequel on glisse le biais de sorte que celui-ci se retrouve juste sous l'aiguille.

Biais cousu avec un pied pour biais.

Pied pose-biais.

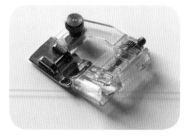

Pied pose-biais réglable.

Comment insérer la bande de biais dans le pied ?

Aidez-vous d'une pince brucelles ou de la pointe de ciseaux. Vous pouvez aussi réaliser quelques points de couture sur l'extrémité du biais en laissant dépasser au début et à la fin de la couture une dizaine de centimètres de fil. Faites ensuite passer ces fils à travers le pied et glissez le biais dans le cornet en tirant sur les fils jusqu'à faire ressortir le biais sous l'aiguille. Dans le cas d'un biais fait maison, le plier en deux et le marquer au fer à repasser peut également être d'une grande utilité pour enfiler son extrémité dans le pied.

Amenez le biais plié sous l'aiguille et réglez la position latérale de cette dernière pour qu'elle pique à quelques millimètres du bord gauche du biais. Laissez dépasser le biais de plusieurs centimètres derrière le pied presseur, afin de faciliter l'entrainement du biais en début de couture.

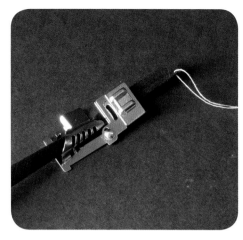

Glissez le tissu à border dans le cornet du pied presseur, jusqu'à la semelle du pied : le tissu se retrouve alors pris en sandwich par le biais.

Le biais a été enfilé grâce à un fil passé à son extrémité.

Abaissez le pied presseur et sélectionnez le point de couture : un point droit, un point zigzag ou pourquoi pas un point décoratif. Piquez en sécurisant la couture au début et à la fin. Accompagnez le tissu à l'intérieur du biais au fur et à mesure de la piqûre.

119

Poser du biais sur plusieurs épaisseurs

Si vous souhaitez poser du biais sur plusieurs épaisseurs de tissu en même temps (un tissu et sa doublure par exemple), assemblez-les avec un point zigzag avant de les border de biais à l'aide du pied pour biais.

Coudre les arrondis avec le pied pose-biais

Les mains ont à travailler en bonne harmonie : la droite maintient le biais et le dirige de façon à ce que l'aiguille pique toujours au bon endroit ; la gauche amène le tissu dans le biais, voire pousse le tissu dans les courbes les plus serrées. Piquez lentement et n'hésitez pas à réduire la longueur du point droit en fonction des courbes.

Coudre les angles avec le pied pose-biais

Pour réaliser un angle à l'aide du pied pour biais, cousez jusqu'à l'extrémité de l'angle, sécurisez la couture puis relevez le pied presseur, dégagez le tissu vers l'arrière en faisant coulisser le biais dans le pied pour biais, sans le faire sortir du pied (fig. 1).

Coupez les fils et pliez manuellement le biais pour qu'il épouse l'angle aussi bien sur l'endroit que sur l'envers (fig. 2).

Fig. 1

Fig. 2

Réinsérez le tissu dans le pied pose-biais, à l'intérieur du biais, et position-nez l'angle sous le pied ; vous devez alors tirer vers vous le biais déjà dévidé. Abaissez le pied pose-biais puis réalisez un point d'arrêt avant de reprendre la couture (fig. 3).

Fig. 3

Angle garni de biais.

Poser un biais avec piqûre dans le creux sur l'endroit

Cette manière de coudre le biais apporte une finition plus soignée puisque la seconde couture est très discrète.

La première couture se réalise endroit contre endroit : piquez au point droit en suivant la pliure du biais (fig. 1).

Puis ouvrez cette couture au fer à repasser et rabattez le biais sur l'envers. Sur l'endroit, épinglez dans le creux de la première couture (fig. 2). Assurez-vous que l'épingle pique bien dans le biais replié. Si ce n'est pas le cas, dépliez un peu le repli du biais jusqu'à ce que vous ayez 1 ou 2 mm de tissu supplémentaire.

Installez le pied pour piqûre dans la couture ou, à défaut, celui pour ourlet invisible, et réalisez une piqûre dans le creux (voir schéma page 86) pour fixer le biais en place (fig. 3).

Fig. 1
Ici, la première couture a été réalisée.

Fig. 2
Le projet épinglé sur l'endroit,
avant la seconde piqûre du biais.

Fig. 3
Fixation du biais par piqûre en creux.

Fabriquer du lien à nouer

Utilisez le pied pour biais pour transformer du biais en lien : introduisez le biais dans le pied, sans ajouter de tissu. Assemblez au point droit jusqu'à obtenir autant de lien que souhaité.

Réunir deux bandes de biais

Pour conserver l'élasticité du biais lorsqu'on assemble deux bandes, il convient de les coudre en biais.

Si le biais est préplié, ouvrez les bandes au fer à repasser. Placez-les endroit contre endroit, perpendiculairement l'une à l'autre. Épinglez et tracez la diagonale comme sur la figure 1. Piquez au point droit selon cette ligne.

Coupez l'excédent de tissu (fig. 2) et ouvrez la couture au fer à repasser (fig. 3).

Fig. 1

Fig. 2

Fig. 3

Les deux bandes de biais, vues sur l'envers, sont reliées entre elles par une couture dans le biais.

Ourlet coquille

Pied bourdon de la marque Janome.

L'ourlet coquille, aussi nommé **ourlet cocotte**, est un petit ourlet travaillé avec un jeté d'aiguille, réalisé à intervalles réguliers, qui vient resserrer la hauteur de l'ourlet. Il est particulièrement adapté aux jerseys, soies et autres tissus souples.

Préparez le tissu en surfilant le bord et en pliant un ourlet de 1 cm de haut maximum, sans le piquer.

Sélectionnez le point d'ourlet invisible (ou tout autre point qui lui ressemble) sur la machine à coudre et, si la machine le permet, configurez un point de couture de 3 mm de large avec un jeté tous les 6 à 10 mm. Installez le pied ; son repère aide à suivre le bord du tissu de manière que l'aiguille pique bien celui-ci : si elle pique dans le vide, l'ourlet coquille ne se fait pas.

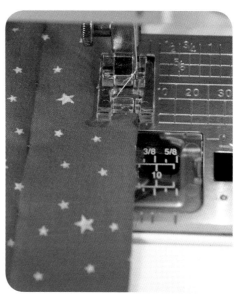

Si le jeté d'aiguille ne retrousse pas suffisamment le tissu, jouez sur la tension du fil d'aiguille pour augmenter le retrait du tissu.

Avec ce pied pour point passé, il faut aligner le bord du tissu contre la branche du pied, et non sur la petite flèche rouge, qui elle indique le milieu du pied presseur.

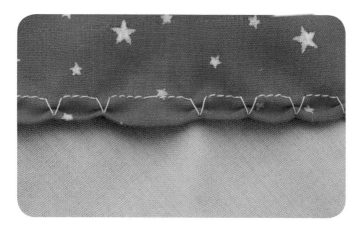

Ici, un des jetés a piqué dans le vide au lieu de piquer le bord du tissu : le point coquille n'a pas été confectionné à cet endroit.

Ourlet festonné

Le point de feston est une solution aisée et intéressante pour réaliser les ourlets des blouses et chemisiers. Utilisez-le cependant sur des tissus qui s'effilochent peu.

Préparez le bord en surfilant si besoin et en pliant un ourlet de 2,5 cm. Intercalez un entoilage hydrosoluble entre les deux épaisseurs de tissu si ce dernier est fin ; l'entoilage rigidifie le tissu et facilite la couture du point de broderie (voir page 229).

Installez le pied pour broderie, configurez le point de feston en largeur et en densité selon vos souhaits : testez sur des chutes de tissu pour vérifier le rendu.

Le point de feston dessine de petites vagues, de petites arches régulières.

Alignez le pied presseur de façon à ce que les bases des arches se terminent au niveau du bord libre de l'ourlet.

Piquez l'ourlet : le point de feston maintient l'ourlet en place et apporte une décoration.

Au moyen de petits ciseaux fins de broderie, découpez l'excédent de tissu autour des festons, sans entailler les fils de broderie. Plus les festons sont petits, plus le travail de découpe est long !

Trempez le tissu dans l'eau pour dissoudre et faire disparaître l'entoilage hydrosoluble.

Comment finir la couture ?

Pour obtenir un joli raccord si vous cousez le point de feston en tube (emmanchure...), arrêtez la couture 5 à 6 cm avant de rejoindre le début du point et mesurez ou estimez le nombre de festons qui peuvent être cousus. Si ce n'est pas un nombre entier, diminuez la longueur du feston : plus ce dernier est petit, plus il est facile de moduler le nombre de festons entiers et d'obtenir une jolie couture, dépourvue d'un feston tronqué.

La manche est ici ourlée au point de feston
et décorée d'un point ajouré (voir page 233).
L'excédent de tissu est retiré pour faire
apparaître les festons.

Ourlet festonné réalisé sur une batiste
collection Première Étoile (Motif Personnel)
avec un fil Broder-Repriser (Amann
Mettler) et un entoilage non tissé NT
Aqua Plus de la marque Ecofil.

N'hésitez pas à utiliser de jolis fils, bien couvrants, mats ou brillants, pour
mettre en valeur les festons.

Ourlet bordé d'une passementerie

MÉMO
- **Aiguille et fil adaptes au tissu.**
- **Point droit de longueur adaptée au tissu ou point zigzag.**
- **Pied point droit, pied avec guide de couture.**

Que ce soit avec un galon de
dentelle, un ruban ou un liseré,
finir un ourlet avec une pièce
de passementerie apporte toujours une touche d'originalité.
Plus la pièce est fine, plus la
pose est délicate. De manière
générale, pensez à équilibrer
les matières : réservez les gros
galons aux tissus lourds et les
dentelles aériennes aux tissus
plus fins.

Avec un pied point droit

Surfilez le bord qui va recevoir la pièce de passementerie. Puis placez-le sur l'endroit du tissu à border et épinglez l'ensemble en déterminant quelle valeur de couture vous allez respecter tout le long de la couture (fig. 1).

Puis piquez au point droit. Au fer à repasser, ouvrez la couture en couchant tous les surplus de couture vers le tissu.

Surpiquez alors les surplus de couture et le tissu pour maintenir le tout en place.

Pour les dentelles très fines, préférez un point zigzag ou, mieux, un point nid-d'abeilles pour fixer la dentelle sur le tissu.

Fig. 1

Fig. 2
Pour finir cette couture d'assemblage, pensez à la surpiqûre ; ici, une surpiqûre nervure est appliquée à l'aide du pied pour piqûre dans la couture.

Point nid-d'abeilles.

Avec un pied spécial

Il existe des pieds spéciaux qui permettent de réaliser cette couture en une seule étape ; le pied pour assembler et plier les bordures comporte deux guides, un pour guider le tissu qui a été préalablement replié et l'autre pour caler le ruban ou la dentelle à coudre.

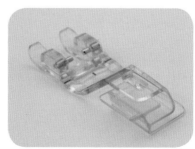
Pied pour assembler et plier les bordures de la marque Pfaff.

La marche à suivre est d'autant plus simple : après avoir surfilé le bord du tissu, si nécessaire, et marqué l'ourlet au fer à repasser, positionnez le tissu dans le guide-tissu puis glissez la pièce de passementerie dans l'autre guide. Abaissez le pied presseur, choisissez un point de couture ; tous les points sont envisageables, à condition que l'ouverture du pied permette le passage de l'aiguille et que le point choisi ait peu de mouvements arrières. Piquez en sécurisant le début et la fin de la couture.

Bordure pliée

Appelée aussi **bordure double**, cette technique est très souvent utilisée pour finir les quilts. Elle peut également servir pour beaucoup de projets de décoration ou d'habillement.

Border droit

Préparez une bande de tissu dans le sens de la laize de ce dernier, à la différence du biais. Pour déterminer la hauteur à couper, partez de la hauteur finale souhaitée (vue sur l'endroit), multipliez-la par 2 puis ajoutez-y une valeur de couture (1 cm, voire 0,5 cm) et 0,5 cm de plus pour le retour. Multipliez le tout par 2 :

h = hauteur de bande à couper
a = hauteur finale
valeur de couture = 1 cm
valeur de retour = 0,5 cm

$$h = (2a + 1 + 0,5) \times 2$$

Prévoyez une longueur plus importante que ce dont vous avez besoin. Pliez la bande au milieu dans le sens de la hauteur, envers contre envers, et marquez le pli au fer à repasser.

Posez la bande sur le tissu à border endroit contre endroit, en commençant au milieu d'un côté (ainsi le raccord sera plus facile à réaliser) : alignez bord à bord et piquez au point droit.

Si un raccord doit être fait, laissez 5 à 10 cm de bande non piquée pour pouvoir le réaliser aisément. Reliez les extrémités des bandes comme indiqué pour relier du biais page 122.

Une fois cette première piqûre faite, couchez la bande vers l'extérieur au fer à repasser et faites-la revenir sur l'envers du tissu. Épinglez sur l'endroit dans le sillon de la première couture (fig. 1).

Installez le pied pour piqûre dans la couture et piquez sur l'endroit pour maintenir en place la bande pliée (fig. 2).

Fig. 1

Fig. 2

Border les angles

Si le projet présente des angles droits, voici comment procéder pour les border. Réalisez la première couture : quand vous arrivez au niveau de l'angle, stoppez la piqûre à une distance équivalente à votre valeur de couture. Dégagez le projet du pied-de-biche et pliez la bande comme indiqué page 117 pour la pose du biais dans un angle.

Une fois la bande réalignée avec l'autre bord du coin, reprenez la piqûre depuis l'extrémité, en la sécurisant. Au moment de retourner la bande sur l'envers, façonnez l'angle manuellement et maintenez-le avec une pince à linge en attendant que la piqûre dans le creux le fixe.

En attendant d'être cousus, les angles sont maintenus par une pince à linge.

L'angle une fois cousu.

Si la partie à border est constituée de plusieurs épaisseurs, n'hésitez pas à utiliser un pied double entraînement ou à activer cette fonction sur la machine à coudre (voir page 158) pour faciliter la pose de la bande et l'avancement des différents tissus.

Poser les systèmes d'attache

Les systèmes de fermeture sont souvent la bête noire des couturières amatrices. Pour ne plus trembler en posant une fermeture Éclair ou redouter la réalisation d'une boutonnière, découvrez dans ce chapitre toutes les techniques et astuces de votre machine à coudre.

Réaliser une boutonnière

- **Fil et aiguille adaptés au tissu.**
- **Point de boutonnière adapté au tissu.**
- **Pied pour boutonnière.**
- **Entoilage adapté au tissu.**

Une boutonnière est une incision réalisée dans le tissu qui permet le passage d'un bouton venant fermer le vêtement. Elle est bordée de points de couture afin de sécuriser le tissu. Une machine à coudre, qu'elle soit mécanique ou électronique, permet de coudre les boutonnières.

Types de boutonnières

Les points de boutonnière sont réalisés à partir de points droits et zigzag; une machine à coudre dispose généralement de quatre grands types de boutonnières. Une machine haut de gamme offre un panel plus large, variantes esthétiques ou pratiques des principales boutonnières.

Boutonnière carrée

La boutonnière carrée est proposée sur toutes les machines à coudre, c'est la boutonnière standard, destinée aux tissus moyennement épais. Ses extrémités sont fermées par un large point zigzag qui lui donne sa forme carrée.

Boutonnière carrée.

Boutonnière lingère

Destinée aux tissus fins voire très fins et délicats, la boutonnière lingère se distingue de la précédente par sa forme arrondie à une extrémité. La machine à coudre peut disposer d'une autre version, avec les deux extrémités arrondies. Elle est réalisée à partir d'un point de couture plus serré qu'une boutonnière

Boutonnière lingère.

Le fil à broderie pour les tissus les plus fins

Pour les tissus fins et très fins, utilisez du fil de canette (voir page 227) dans la canette : ce fil fin est très discret et convient bien à la réalisation des boutonnières.

carrée et convient moins aux étoffes épaisses, sur lesquelles la machine à coudre risque de faire du surplace.

Réalisez-la avec un fil fin et une aiguille fine : aiguille universelle taille 60 ou 70, ou aiguille microtex taille 70.

Boutonnière tailleur

Boutonnière tailleur.

Cette boutonnière se singularise par l'œillet qui vient fermer l'une de ses extrémités. Aussi nommée trou de serrure, elle s'utilise sur les tissus moyens et épais et pour les boutons volumineux, en particulier sur les vestes et les manteaux. Elle peut se réaliser avec du fil à surpiquer sur les tissus les plus épais comme les lainages. Piquez-la horizontalement, de façon que la tige du bouton vienne se positionner dans l'œillet.

Boutonnière stretch

Boutonnière stretch.

La boutonnière stretch est utile sur les matières extensibles, les jerseys et les mailles : le point zigzag permet d'épouser la déformation du tissu. Elle peut être cordée pour lui donner plus de tenue (voir page 139).

Boutonnière piquée

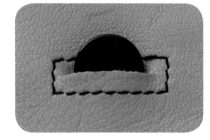

Boutonnière piquée.

Cette boutonnière est un rectangle piqué au point droit. Utilisez-la pour réaliser toute boutonnière sur une matière cousue à cru telle que le cuir, le similicuir, les toiles enduites, la feutrine…

Le but est de rigidifier et décorer la fente taillée dans le tissu. Comme pour toute boutonnière, procédez d'abord au piquage puis entaillez la matière à l'aide d'un cutter ou d'une lame. Choisissez un fil contrasté pour mettre en avant la boutonnière piquée.

Dimensionner une boutonnière

La longueur d'une boutonnière (L_B) dépend bien sûr de la taille du bouton : mesurez le diamètre du bouton (d_b) ainsi que son épaisseur (e_b). L'addition de ces deux mesures en millimètres, à laquelle on ajoute 3 mm pour l'aisance, donne la longueur de la boutonnière :

$$L_B = d_b + e_b + 3$$

Si le bouton a une forme particulière (carrée, bombée), mesurez toujours la partie la plus longue pour calculer la dimension de la boutonnière.

Orienter les boutonnières

Une fois déterminée leur dimension, il faut décider de l'orientation des boutonnières : elles peuvent être placées horizontalement ou verticalement.

Boutonnière verticale

La boutonnière verticale, dite boutonnière de maintien, convient plutôt aux matières fines et délicates. La tension exercée par le bouton sur la boutonnière se fait sur l'ensemble de la boutonnière. Le bouton se positionne au centre de celle-ci. Sur une chemise ayant une patte de boutonnage, il est habituel de placer les boutonnières à la verticale, selon le droit-fil du tissu.

Féminin ou masculin ?

Si vous souhaitez respecter la tradition qui veut que les boutons ne soient pas du même côté pour les femmes et pour les hommes – nous n'entrerons pas ici dans les explications historiques de cet état de fait –, alors sachez que sur les chemisiers, les boutonnières sont réalisées sur le devant droit et les boutons cousus sur le devant gauche (quand le vêtement est porté). Inversez pour une chemise masculine : à droite vont les boutons, à gauche les boutonnières.

Boutonnière horizontale

Sur des tissus épais, la boutonnière est le plus souvent placée horizontalement, à la perpendiculaire du bord du tissu. Elle est confectionnée ainsi sur les manteaux et les vestes. La boutonnière à l'horizontale permet une aisance plus grande qu'à la verticale : on la privilégie donc également pour la ceinture d'un pantalon ou d'une jupe. Le bouton vient se positionner à l'extrémité de la boutonnière, que le bouton a tendance à solliciter, c'est pourquoi cette boutonnière est dite de tension.

Positionner les boutonnières

Si le vêtement est symétrique, la boutonnière, qu'elle soit horizontale ou verticale, est toujours alignée sur le milieu devant. Pensez à bien respecter le droit-fil au moment de placer les boutonnières : elles n'en seront que plus solides.

Tester la boutonnière

Pour vous assurer de la bonne adéquation bouton-boutonnière, réalisez au préalable une boutonnière test sur une chute du tissu utilisé, en réunissant les mêmes conditions : mêmes fils, mêmes épaisseurs de tissu, même entoilage, etc. Puis glissez-y le bouton pour vérifier qu'elle est bien dimensionnée.

Pour placer les boutonnières de façon régulière, n'omettez pas de prendre en compte leur longueur (si elles sont à la verticale) ou leur largeur (si elles sont à l'horizontale). Centrez les boutonnières sur une même ligne et répartissez-les selon le même espacement.

Dessin de l'emplacement des boutonnières verticales sur une patte de boutonnage en batiste.

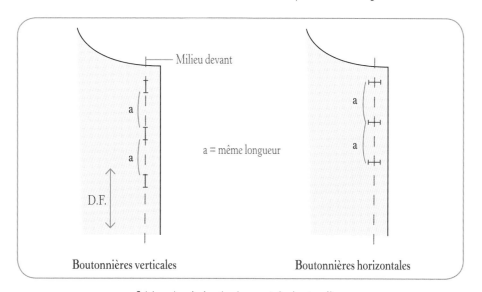

Schéma de principe du placement des boutonnières.

Coudre une boutonnière

Les différents cas de figure pour la couture d'une boutonnière sont détaillés ici, en fonction des caractéristiques de votre machine.

Couture en quatre étapes

La couture en quatre étapes utilise un pied presseur classique ou un pied pour boutonnière manuelle et trois modes de point, pour les quatre côtés de la couture de la boutonnière.

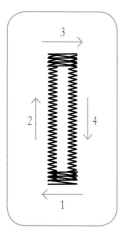

Sens habituel de réalisation de la boutonnière en quatre étapes. Attention, certaines machines commencent par le grand côté de gauche.

135

Une fois dessiné l'emplacement et la taille de la boutonnière, installez le pied pour boutonnière manuelle, configurez la machine à coudre sur le mode 1 de la boutonnière (extrémité de la boutonnière).

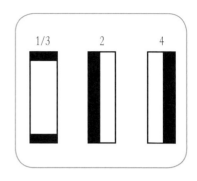

Sur la machine à coudre, ces trois éléments (parfois quatre) sont représentés : à chaque changement d'étape, placez le sélecteur de point sur l'étape de votre choix.

Placez le tissu sous le pied presseur en positionnant l'aiguille environ 2 mm avant l'extrémité de la boutonnière. Piquez le bas de la boutonnière et, une fois arrivé à son extrémité, stoppez la couture, tournez le sélecteur sur le mode 2 et piquez le long côté de la boutonnière. De la même manière, arrivé à la fin du repère de la boutonnière, stoppez la piqûre et sélectionnez à nouveau le mode 1 (ou 3 selon les machines), cousez l'autre extrémité de la boutonnière puis sélectionnez le mode 3 (ou 4) pour piquer le second côté de la boutonnière. Une fois revenu au début de la couture, arrêtez de piquer et sécurisez les fils.

Pied pour boutonnière manuelle de la marque Pfaff.

Pied pour boutonnière manuelle de la marque Janome.

Entoilage, renfort et aide à la couture

Entoilez l'envers du tissu qui reçoit les boutonnières, c'est-à-dire posez l'entoilage entre les deux épaisseurs de tissus qui reçoivent les boutonnières : le tissu y gagne de la tenue et la réalisation des boutonnières est d'autant plus aisée. En outre, l'entoilage consolide la boutonnière et la rend plus résistante.

Même entoilée, la boutonnière peut être difficile à réaliser avec certaines matières lourdes ou glissantes. N'hésitez pas à utiliser un entoilage temporaire hydrosoluble (comme le NT Aqua Plus de la marque Ecofil) : placez un morceau d'entoilage dessous pour rendre la piqûre de la boutonnière plus aisée, et éventuellement un autre morceau entre le tissu et le pied presseur, si nécessaire. Nul besoin de les thermocoller : épinglez-les aux pourtours de la zone de réalisation de la boutonnière ; vous découperez l'excédent d'entoilage après la piqûre et le reste disparaîtra au lavage.

136

Couture avec le pied automatique pour boutonnière

Pour utiliser cette méthode, la machine doit être munie d'un levier de boutonnière (positionné à gauche du porte-pied de la machine).

L'emplacement de la boutonnière sur le tissu a été préparé en le marquant au feutre ou à la craie : dessinez un T de manière à rendre bien lisible le début de la boutonnière.

Glissez le bouton correspondant à la boutonnière à l'extrémité arrière du pied, dans l'emplacement prévu, et emprisonnez-le bien : il ne doit pas pouvoir sortir (fig. 1).

Installez le pied sur le porte-pied et descendez le levier de boutonnière (noté «push» sur la fig. 2) jusqu'en bas. Durant la couture, ce levier viendra buter sur les ergots latéraux du pied

Fig. 1
Le pied pour boutonnière automatique est muni d'un système coulissant et d'un emplacement pour le bouton.

presseur pour indiquer à la machine la longueur de la boutonnière. Abaissez le pied presseur en laissant apparaître le repère en T de la boutonnière dans la fenêtre du pied (fig. 2 et 3).

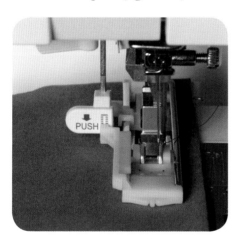

Fig. 2

Fig. 3
Le repère de la boutonnière est aligné avec la fenêtre du pied pour boutonnière. Pour les machines de la marque Pfaff, il faut penser à aligner la petite flèche rouge avec l'encoche, avant d'aligner la marque du tissu avec la fenêtre du pied.

Piquez la boutonnière en utilisant la pédale ou la touche marche-arrêt. Avec la touche marche-arrêt, la machine pique la boutonnière sans votre intervention et s'arrête quand celle-ci est finie. Sur les machines les plus haut de gamme, elle va jusqu'à couper les fils et relever le pied presseur.

Sur certaines machines à coudre électroniques, le pied presseur pour bouton-nière se connecte à la machine grâce à un branchement (fig. 4) ; il faut alors renseigner la taille de la boutonnière sur l'écran (fig. 5).

Fig. 4

Ce pied pour boutonnière Sensormatic de la marque
Pfaff se connecte à la machine à coudre.

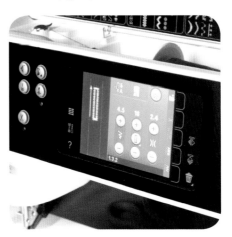

Fig. 5

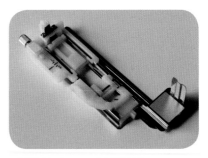

Pour faciliter la réalisation des bouton-nières sur les tissus épais ou glissants, le pied pour boutonnière peut s'accom-pagner d'une plaque appelée stabilisa-trice, qui vient entourer le pied presseur (fig. 6). Grâce à un revêtement antidéra-pant, cette plaque maintient en place le tissu et permet un meilleur travail des griffes d'entraînement ; la couture de la boutonnière se fait alors sans encombre.

Fig. 6

Un bouton trop grand

Parfois, le bouton est trop grand ou volumineux pour s'insérer dans le logement prévu sur le pied pour boutonnière. Comment procéder ?

Calculez la dimension de la boutonnière comme vu plus haut, dessinez-la sur le tissu, mais au lieu d'utiliser le pied pour boutonnière automatique, installez un pied pour boutonnière manuelle ou un pied multifonction. Abaissez le levier de boutonnière de la machine et choisissez le point pour boutonnière que vous souhaitez coudre. Commencez la couture et laissez la machine piquer la boutonnière. La seule chose à faire est de lui signaler la longueur de la boutonnière : quand l'aiguille arrive en haut de votre tracé, appuyez sur le levier de boutonnière (donnez-lui un petit coup avec votre doigt) pour donner l'ordre à la machine à coudre de pas-ser à l'étape 2 de la boutonnière.

Réaliser une boutonnière cordée

Cette finition de boutonnière, souvent réalisée sur les vêtements en maille, consiste à prendre un fin cordon dans la couture, cordon qui vient renforcer et donner de la tenue à la boutonnière. La cordelette donne du relief à la boutonnière et la met en valeur, de sorte qu'elle en devient un élément esthétique. Utilisez un fil de coton perlé ou un fil à surpiquer.

Préparez la boutonnière comme expliqué plus haut. Autour du pied pour boutonnière, faites passer le cordon en le fixant en son milieu dans le petit crochet situé à l'arrière du pied. Ramenez les brins du cordon en les faisant passer sous le pied, sur le devant du pied presseur (sur certains pieds, le cordon est aussi fixé provisoirement à l'avant).

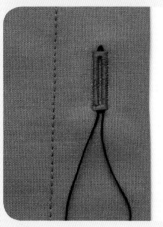

Piquez la boutonnière ; une fois celle-ci cousue, le cordon dépasse un peu de la boutonnière. Coupez les extrémités libres du cordon situées à l'avant du pied, en laissant 6 cm de cordon. Dégagez le tissu de la machine à coudre et tirez doucement sur l'une des extrémités du cordon pour le faire glisser et qu'il vienne border l'arrière de la boutonnière. Enfin, faites passer les extrémités du cordon sur l'envers du tissu, nouez-les et réduisez-les au besoin.

Couture sans point pour boutonnière

Sur la base du schéma de la boutonnière en quatre étapes, dessinez sur le tissu un rectangle aux dimensions de la boutonnière. Placez un pied pour boutonnière manuelle, ou à défaut un pied pour broderie ou pour appliqués (voir page 221) ; un pied qui permet une bonne visibilité est nécessaire, afin de bien voir où pique l'aiguille.

Configurez la machine à coudre sur un point zigzag de 2 mm de large et de 0,5 à 1 mm de long ; avec ce point piquez les longs côtés de la boutonnière. Avec un zigzag plus large (de 3,5 à 4 mm), piquez les extrémités de la boutonnière. Essayez de piquer ces quatre

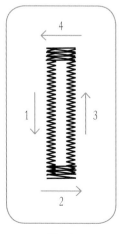

Fig. 1

139

étapes en une seule fois, en suivant le schéma de la figure 1. N'hésitez pas à faire pivoter le tissu autour de l'aiguille plantée dans le tissu pour éviter les coutures en arrière. Une fois la couture terminée (fig. 2), sécurisez les fils de la boutonnière sur l'envers.

Fig. 2

Ouvrir une boutonnière

Une boutonnière s'ouvre toujours après avoir été cousue, jamais avant.

Avec un découd-vite

Barrez une extrémité de la boutonnière avec une épingle et, à l'aide d'un découd-vite, coupez le tissu situé entre les coutures. L'épingle a pour rôle d'éviter que le découd-vite ne coupe l'extrémité de la boutonnière.

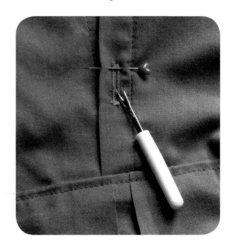

Pour une boutonnière tailleur, ouvrez la partie ronde de la boutonnière au moyen d'un poinçon et utilisez le découd-vite pour le reste de la boutonnière.

Avec un ouvre-boutonnière

Un ouvre-boutonnière est un ustensile tranchant qui permet de couper de façon très nette l'intérieur de la boutonnière. Au moment de l'utiliser, prenez appui sur un tapis de découpe ou à défaut un morceau de carton épais.

Ils sont généralement de 12 mm de large ; si la boutonnière à ouvrir est plus petite, préférez le découd-vite.

Avec un coupe-boutonnière

Il existe aussi des ciseaux coupe-boutonnière, dont on peut régler la longueur de coupe au moyen d'une vis (si la boutonnière fait 14 mm, la vis est réglée sur 14 et les ciseaux ne coupent que sur cette distance).

Coudre un bouton

Une machine à coudre permet de coudre les boutons plats à trous. Ceux-ci existent en différentes matières (bois, plastique, métal, nacre, porcelaine, etc.) et peuvent être percés de deux ou quatre trous. Ils sont le plus souvent ronds, mais parfois carrés, ovales, triangulaires ou encore en forme d'objets.

Choisissez-les assortis à votre projet, en aspect comme en taille : plus le tissu est fin, plus le bouton est petit, et inversement. Si l'ouvrage doit être lavé régulièrement, vérifiez que les boutons choisis ne sont pas détériorés par l'eau.

Principe de couture

MÉMO

- **Aiguille et fil adaptés au tissu.**
- **Point couture de bouton ou point zigzag.**
- **Pied pour bouton.**

Pied pour bouton en métal
de la marque Pfaff.

Pied pour bouton en plastique transparent
de la marque Janome.

Le pied pour bouton est un pied presseur court, qui vient se poser sur le bouton pour le maintenir pendant la couture.

Marquez l'emplacement du bouton en fonction de la boutonnière précédemment cousue (au centre pour une boutonnière verticale, à l'extrémité pour une horizontale). Abaissez les griffes d'entraînement ou placez la plaque couvre-griffes (voir page 245).

Sélectionnez le point couture de bouton et placez le bouton sous le pied presseur en le centrant. Abaissez le pied presseur et réglez la largeur du point pour que l'aiguille pénètre alternativement dans chaque ouverture du bouton : vérifiez-le en manipulant le volant de la machine à coudre puis cousez normalement cinq ou six points et sécurisez la couture en nouant les fils sur l'envers.

Si la machine ne possède pas de point spécifique pour la couture des boutons, réglez-la sur un point zig-zag de longueur 0 et d'une largeur correspondant à l'espacement des trous du bouton.

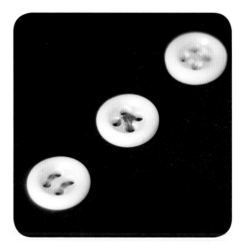

Pour un bouton possédant quatre trous, réalisez la couture sur deux trous puis deux autres soit en croisant le point de couture, soit en le cousant en lignes parallèles ou encore en carré, question d'esthétique.

Usage détourné du point couture de bouton

Le point couture de bouton peut servir à fixer divers éléments : un ruban, un nœud, une agrafe...

Petit nœud en cordon fixé au moyen du point couture de bouton au dos d'un tee-shirt.

Bouton avec du jeu

Si vous désirez laisser une queue au bouton, par exemple pour boutonner des tissus épais, tirez la petite tige présente sur le pied pour bouton (fig. 1) ; la couture se fait alors à cheval sur cette tige, ce qui apporte le jeu souhaité. Si le pied est dépourvu de cette tige, insérez un cure-dent entre le pied presseur et le bouton (fig. 2). Cousez comme expliqué précédemment. À la fin de la couture, laissez une certaine longueur de fil d'aiguille (environ 10 cm) et, au moyen d'une aiguille à coudre à la main, passez le fil entre l'envers du bouton et l'endroit du tissu. Enroulez-le plusieurs fois autour de l'attache du bouton puis passez-le sur l'envers du tissu et nouez-le avec le fil de canette avant de couper le surplus.

Fig. 1
Pied pour bouton Pfaff avec tige incorporée.

Fig. 2
Un cure-dent est utilisé pour donner
du jeu à la couture du bouton.

143

Coudre des œillets

Pour sécuriser de petites ouvertures – afin de faire passer un cordon ou un lien, sur une ceinture par exemple –, réalisez des œillets à la machine à coudre : cette couture stabilise le tissu, le consolide et l'empêche de s'effilocher.

MÉMO
- **Aiguille et fil adaptés au tissu.**
- **Point d'œillet.**
- **Pied multifonction ou pied pour broderie.**

Pour les tissus fins et moyens, consolidez le tissu en l'entoilant sur l'envers avec un entoilage permanent et thermocollant. Faites un test sur les tissus épais, qui peuvent parfois se passer d'entoilage.

Marquez d'un repère l'emplacement de l'œillet à coudre, installez un pied presseur multifonction ou broderie et sélectionnez le point d'œillet. Placez le tissu sous le pied-de-biche en respectant le repère, abaissez le pied presseur et piquez l'œillet.

Pour ouvrir l'œillet, placez le tissu sur un tapis de découpe et transpercez le centre de l'œillet au moyen d'un poinçon.

Le conseil de la couturière

Si la machine à coudre n'a pas le point œillet, réalisez à la place de petites boutonnières.

Poser une fermeture à glissière

La fermeture Éclair est un système de fermeture très souvent utilisé en couture. Aussi appelée fermeture à glissière, zip ou encore fermeture à crémaillère, elle existe en différentes longueurs, matières (plastique ou métal le plus souvent) et en bien des couleurs.

Choisissez une fermeture adaptée à votre projet : pour les tissus fins, préférez une fermeture fine à petites dents, munie de rubans légers. Pour des tissus lourds et épais, une fermeture aux dents épaisses et aux rubans larges conviendra mieux.

En haut, fermeture à glissière en plastique ; en bas, fermeture invisible. Chacune est présentée avec le pied de couture adapté.

La fermeture à glissière se compose de deux rubans reliés par des dents qui s'emboîtent les unes dans les autres quand le curseur de la fermeture est tiré. Elle peut être séparable (les deux rubans peuvent être détachés entièrement) et s'emploie alors sur les manteaux, vestes ou accessoires ayant besoin d'être complètement ouverts. Elle est dite inséparable quand les deux rubans sont maintenus ensemble à la base. Elle peut aussi être invisible ; dans ce cas, une fois cousue, seul le curseur s'aperçoit sur l'endroit du travail.

Elle débute et finit par deux arrêtoirs, la distance séparant les arrêtoirs définit la longueur de la fermeture.

Poser une fermeture à glissière classique

MÉMO

• **Aiguille et fil adaptés au tissu.**
• **Point droit.**
• **Pied pour fermeture à glissière.**

Pied pour fermeture Éclair de la marque Pfaff.

Pied tirette de la marque Janome pour coudre une fermeture Éclair.

Point droit.

Une fermeture à glissière se coud au point droit, à l'aide d'un pied presseur spécial, celui pour fermeture à glissière aussi nommé pied tirette. Selon les marques de machines, ce pied peut se présenter différemment mais il a toujours le même objectif : faciliter la pose d'une fermeture Éclair en permettant de piquer près des dents de celle-ci.

Il est généralement plus étroit que les autres pieds et présente une encoche de chaque côté. Il faut déplacer l'aiguille latéralement pour qu'elle vienne piquer au niveau de cette encoche.

Quels que soient la marque et le modèle, le pied est utilisable indifféremment des deux côtés. Installez-le du côté le plus pratique pour piquer : pour coudre le ruban gauche de la fermeture Éclair, fixez le pied sur son côté droit, pour coudre le ruban droit, fixez le pied sur son côté gauche.

Bases de pose d'une fermeture Éclair

La configuration la plus simple est le cas d'une fermeture à glissière que l'on pose sur toute la longueur du tissu, par exemple sur la hauteur d'un devant de manteau. Que la fermeture soit séparable ou non, procédez toujours de la façon suivante.

Fixez le pied pour fermeture à glissière sur le porte-pied, selon le côté que vous allez coudre. Surfilez les surplus de tissu des bords qui doivent recevoir les rubans de la fermeture Éclair ; si vous avez choisi de poser une doublure à l'intérieur du projet, vous pouvez vous dispenser de surfiler. Repliez et marquez au fer à repasser les surplus de couture. Épinglez un des rubans avec un des surplus de couture, endroit contre endroit (fig. 1).

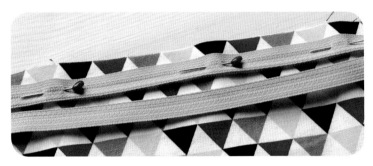

Fig. 1

Placez le côté du pied presseur le plus près possible des dents : pendant la couture, le pied doit rester plaqué contre elles (fig. 2). Placez l'aiguille à l'endroit où vous souhaitez piquer. En général, la piqûre se réalise au milieu du ruban ; plus vous piquez loin des dents de la fermeture Éclair, plus la partie visible sur l'endroit de la fermeture est importante. La piqûre se fait le plus souvent de haut en bas ; pensez surtout à réaliser les piqûres de chaque ruban dans le même sens, pour éviter tout décalage.

Fig. 2

Pour piquer facilement, calez le bord du pied-de-biche contre les dents de la fermeture et déplacez l'aiguille latéralement afin qu'elle pique au milieu du ruban.

Que la fermeture soit séparable ou non, il faudra à un moment donné éviter le curseur : laissez l'aiguille plantée dans le tissu, soulevez le pied presseur, faites passer le curseur sous le pied et éloignez-le suffisamment pour qu'il ne gêne pas la couture. Abaissez le pied presseur et finissez de piquer. Sécurisez la couture et ouvrez-la au fer à repasser.

Si vous le souhaitez, surpiquez sur l'endroit
pour renforcer la couture.

Recommencez le processus pour l'autre ruban.

La fermeture à glissière séparable

Choisissez-la de la longueur de l'ouverture sur laquelle elle doit être assemblée. Vous pouvez trouver des fermetures séparables à double curseur, le bas et le haut s'ouvrant indépendamment. Pour la pose, procédez de la même façon que pour une fermeture inséparable, tout en veillant à bien aligner les rubans pour obtenir un résultat symétrique.

Fermetures séparables en métal (en noir)
et en plastique (en rouge).

Fermeture apparente dans une pièce de tissu

Certains vêtements ou accessoires nécessitent une pose au milieu d'une pièce de tissu. Pour poser une fermeture Éclair inséparable apparente quand il n'y a pas de couture, utilisez une parementure.

Préparez une parementure dans un tissu plus léger que celui du projet, taillez-la légèrement plus grande que la fermeture Éclair. Finissez-en les bords avec la méthode de votre choix (ils ne seront visibles que sur l'envers du vêtement).

Sur l'endroit du vêtement, marquez la ligne sur laquelle vous souhaitez poser la fermeture (si le tissu est fin, un entoilage peut être le bienvenu pour consolider la trame du tissu). Installez la parementure sur le vêtement, endroit contre endroit, et centrez la parmenture sur cette ligne (fig. 1). Reportez sur la parementure la ligne représentant la fermeture et piquez au point droit tout autour de la ligne, à 3 mm de cette dernière. Centrez le pied presseur sur la ligne et décalez l'aiguille vers la droite de 3 mm : ainsi la piqûre se fait toujours à 3 mm de la ligne, même après avoir tourné autour de la ligne.

Entaillez au moyen de ciseaux fins la ligne de fermeture dessinée sur la parementure : vous coupez à la fois la parementure et le vêtement ; un centimètre avant la couture horizontale, arrêtez et coupez en direction des angles pour cranter (fig. 1).

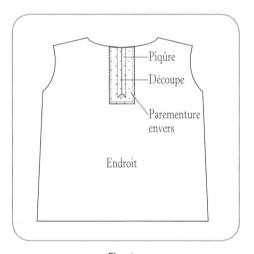

Fig. 1

Retournez la parementure sur l'envers et repassez. Placez la fermeture à glissière dans l'ouverture créée, endroit de la fermeture contre endroit de la parementure, et épinglez les rubans avec les deux épaisseurs de tissu (fig. 2).

Installez le pied pour fermeture à glissière sur le porte-pied de la machine à coudre ; déplacez l'aiguille latéralement pour coudre à la distance qui convient, afin de piquer dans le ruban de la fermeture Éclair et dans le tissu et sa parementure.

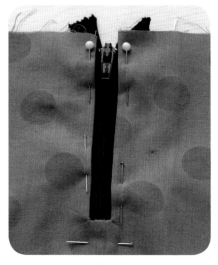

Fig. 2

Piquez en place la fermeture Éclair sur l'endroit du vêtement, en commençant la couture par le bas (fig. 3) et en remontant vers le curseur.

Puis faites de même pour l'autre ruban. Changez alors de côté le pied pour fermeture à glissière (fig. 4).

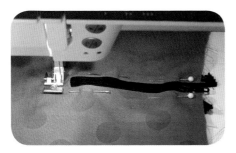

Fig. 3

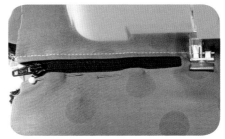

Fig. 4

Fermeture apparente dans l'axe d'une couture

Comme dans le cas précédent, cette technique permet de jouer sur le contraste et de faire apparaître le ruban et les dents de la fermeture à glissière. Choisissez une fermeture de couleur assortie au tissu ou contrastée.

Marquez sur les deux pièces de tissu la fin de la fermeture Éclair (c'est-à-dire l'arrêtoir inférieur). Entoilez l'envers des pièces si le tissu est fin et surfilez les bords.

Sur chaque pièce, délimitez la partie du tissu qui doit s'ouvrir pour laisser paraître la fermeture. La largeur de cette partie doit être équivalente à la marge de couture, à laquelle il faut

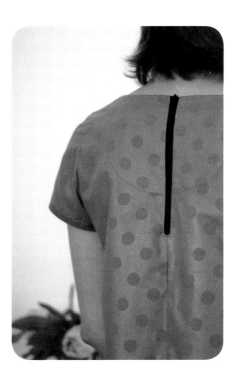

ajouter 6 mm pour une fermeture inséparable standard (cette valeur peut être plus grande si la fermeture Éclair est plus large), soit 3 mm de chaque côté ou plus. Elle finit à hauteur du repère du bas de la fermeture Éclair. Piquez une couture de maintien (voir page 63) pour marquer la zone d'ouverture sur chaque partie (cette piqûre aide à la pliure du tissu à l'étape suivante).

Assemblez au point droit les deux pièces de tissu, endroit contre endroit, à partir du repère de fin de fermeture Éclair jusqu'en bas.

Crantez l'angle pour plier les surplus de couture selon la couture de maintien ; marquez au fer à repasser, de manière que la piqûre soit bien placée sur l'arête du pli.

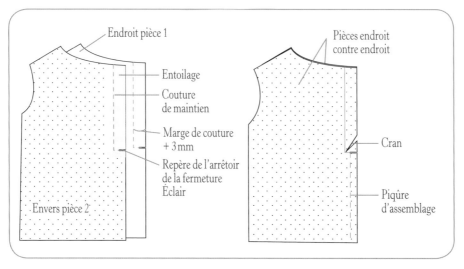

Montage d'une fermeture apparente dans l'axe de couture.

Labels on diagram:
Endroit pièce 1
Entoilage
Couture de maintien
Marge de couture + 3 mm
Repère de l'arrêtoir de la fermeture Éclair
Envers pièce 2
Pièces endroit contre endroit
Cran
Piqûre d'assemblage

L'ouverture étant créée, venez y positionner la fermeture Éclair, endroit contre envers du vêtement. Épinglez la fermeture pour la maintenir en place dans l'ouverture (ou bâtissez à la main si vous préférez) et piquez en commençant par le bas : la couture prend ensemble le ruban et les deux épaisseurs de tissu.

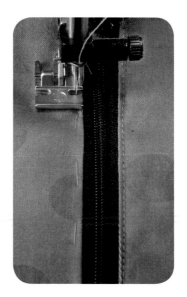

Le zip facile pour les enfants

Pour les projets destinés aux enfants, préférez cette technique de pose apparente de la fermeture Éclair. Les dents de la fermeture sont dégagées, ce qui évite tout risque de les coincer sur le bord du tissu.

Fermeture cachée dans l'axe d'une couture

Cette technique assure la mise en place d'une fermeture Éclair classique en toute discrétion, sans avoir recours à la fermeture invisible.

Le fil gris utilisé ici crée un effet contrasté pour une meilleure lisibilité. Si vous souhaitez rendre la fermeture discrète, choisissez un fil ton sur ton.

La fermeture vient dans la continuité de la couture d'assemblage du projet. Marquez l'emplacement de la fermeture à glissière en plaçant sur le tissu un repère au niveau de l'arrêtoir inférieur de la fermeture (fig. 1). Réalisez une couture au point de bâti (voir page 73) sur la longueur qui va recevoir la fermeture à glissière puis continuez au point droit sur le reste de la couture, en réalisant quelques points d'arrêt au niveau du repère. Ouvrez la couture au fer à repasser.

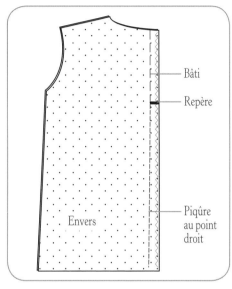

Fig. 1

Centrez la fermeture sur la couture bâtie, endroit de la fermeture sur endroit des surplus de couture : épinglez le ruban de la fermeture et le surplus de couture (fig. 2). Piquez chaque ruban sur son surplus, au centre du ruban, de bas en haut (fig. 3).

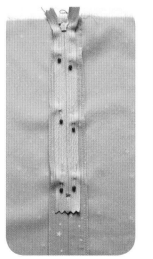

Fig. 2   Fig. 3

Une fois les deux rubans cousus, travaillez sur l'endroit : sans défaire le bâti, surpiquez autour de la fermeture à glissière, en prenant donc toutes les épaisseurs. Commencez la couture sous l'arrêtoir de la fermeture pour remonter jusqu'en haut ; recommencez de l'autre côté.

Défaites alors le bâti (fig. 4) en prenant garde de ne pas découdre les points d'assemblage situés en dessous de l'arrêtoir de la fermeture Éclair.

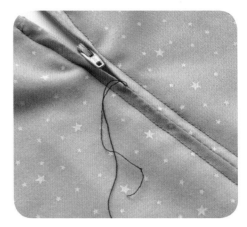

Fig. 4

Le cas des tissus extensibles

Posez un ruban thermocollant sur les bords qui doivent recevoir la fermeture à glissière : cet entoilage empêchera que le tissu ne s'étire au moment de la couture de la fermeture.

Poser une fermeture invisible

• **Aiguille et fil adaptés au tissu.**
• **Point droit.**
• **Pied pour fermeture à glissière et pied pour fermeture invisible.**

Pied pour couture invisible de la marque Janome, endroit et envers.

La fermeture invisible doit être vraiment invisible une fois montée sur le vêtement : seul le curseur apparaît sur l'endroit. Grâce au pied pour fermeture invisible, la couture se trouve dissimulée au ras des dents de la fermeture.

Le pied pour fermeture invisible peut être en métal ou transparent et son aspect varie selon les marques ; il est compact, juste percé d'une ouverture pour le passage de l'aiguille. Sur l'envers, la semelle présente deux sillons qui ont pour rôle de recevoir et d'écarter les dents de la fermeture invisible afin que l'aiguille puisse piquer au plus près.

À l'inverse d'une fermeture Éclair classique, la fermeture invisible se pose avant la couture d'assemblage afin d'éviter des fronces disgracieuses à la base de la fermeture.

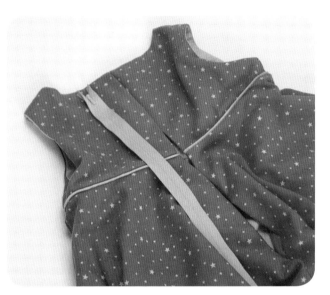

Une robe et la fermeture invisible qui va être piquée au milieu du dos.

Surfilez les bords libres en laissant 1,5 cm de surplus de couture. Sur les deux pièces de tissu, marquez au feutre ou par un bâti la ligne de couture que la fermeture invisible doit réunir (c'est-à-dire la ligne d'assemblage des deux pièces de tissu). Marquez également la fin de l'ouverture de la fermeture, qui correspond à l'emplacement de son arrêtoir inférieur.

Épinglez chaque ruban de la fermeture avec chaque surplus de couture, en alignant les dents de la fermeture sur la ligne de couture.

Avis aux couturières confirmées

Si vous êtes à l'aise avec la technique de la pose invisible et à condition que la fermeture ne soit pas soumise à une trop forte tension, vous pouvez vous dispenser de la piqûre au milieu du ruban et coudre directement avec le pied pour fermeture invisible.

Installez le pied pour fermeture Éclair, ouvrez la fermeture et piquez le ruban en son centre de haut en bas : cette couture a pour but de maintenir le ruban en place pour la piqûre suivante et également de renforcer le montage car les coutures de la fermeture invisible seront soumises à des tensions à chaque fois qu'elle sera actionnée.

Ajuster la longueur d'une fermeture à glissière

À défaut d'une fermeture à glissière suffisamment courte, choisissez-en une plus longue et en plastique. Une fois posée, bloquez le curseur à la longueur voulue, en piquant un point zigzag de longueur 0 et suffisamment large pour recouvrir les dents de la fermeture. Puis coupez aux ciseaux l'excédent de la fermeture, quelques centimètres en dessous de l'arrêt que vous venez de coudre.

Si au contraire la fermeture Éclair est plus petite que les tissus avec lesquels vous souhaitez l'assembler, enfermez les extrémités dans deux petits rectangles de tissu.

Cela permet aussi d'habiller les extrémités de la fermeture Éclair, si l'on veut cacher l'arrêtoir inférieur par exemple.

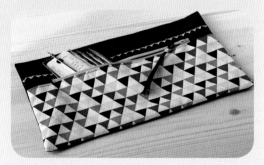

Installez le pied pour fermeture invisible, engagez les dents de la fermeture dans le sillon du pied, en haut de la fermeture, et déplacez latéralement l'aiguille pour qu'elle vienne piquer au plus près des dents : la piqûre se fait à la base des dents, que le pied presseur écarte au fur et à mesure de la couture. Piquez de haut en bas jusqu'au repère de fin d'ouverture. Recommencez pour l'autre ruban.

Terminez l'assemblage du projet : installez à nouveau le pied pour fermeture à glissière et piquez les deux pièces de tissu en partant des derniers points de couture réalisés à la base de la fermeture invisible (au niveau de l'arrêtoir).

155

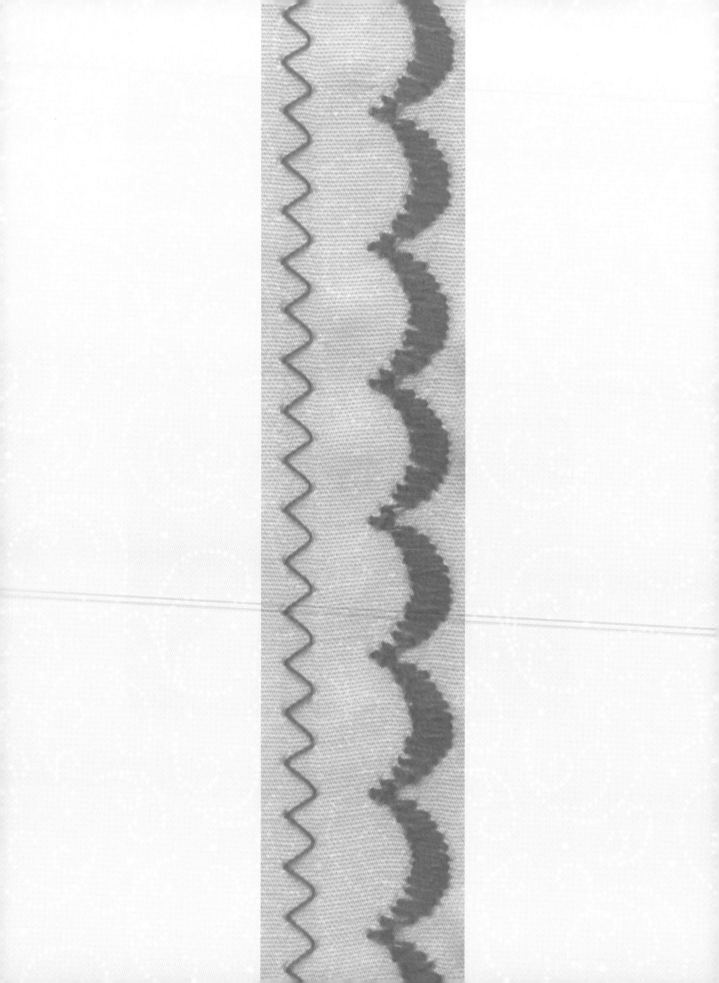

Coudre les matières spéciales

Certains tissus sont plus faciles à coudre que d'autres.
Les matières présentées dans ce chapitre demandent
des attentions particulières afin que la couture soit
aisée et que leur travail reste un plaisir.
Nous aborderons tout d'abord le double
entraînement, fonction sous-estimée de la machine
à coudre, puis détaillerons la marche à suivre pour
les grandes catégories de tissus spéciaux.

Double entraînement

Pour faciliter la couture, en particulier le travail des tissus spéciaux, le double entraînement s'avère d'une grande utilité. Il simplifie la couture des tissus extensibles, des cuirs, similicuirs et tissus enduits, mais aussi des tissus à poils longs ou très glissants. Il est en outre utile pour le matelassage et la couture des tissus à motifs, en particulier quand le raccord des motifs exige beaucoup de précision. Pensez également à l'utiliser quand vous

Ici, pour obtenir le raccord parfait des motifs, le double entraînement a été utilisé. Il évite que l'une des pièces de tissu ne se décale au fur et à mesure de la piqûre.

devez joindre parfaitement deux pièces de tissu, en faisant correspondre des surpiqûres par exemple.

Le but du double entraînement est d'éviter le décalage des différentes épaisseurs de tissu durant la couture. Vous aurez peut-être remarqué que parfois le tissu de dessus « avance » plus vite que celui (ou ceux) de dessous. L'ensemble des tissus n'est pas entraîné à la même vitesse : le double entraînement permet de résoudre ce problème en déplaçant toutes les épaisseurs au même rythme.

Cette fonction ne modifie pas le principe de la couture : avec le double entraînement, cousez comme vous le feriez habituellement. Adaptez l'aiguille, le fil et le point de couture à votre projet.

Sur certaines machines à coudre, cette fonction est intégrée : ce système de transport du tissu s'enclenche à votre demande. Pour résumer son fonctionnement, un bras articulé vient positionner une série de griffes aux côtés de la semelle du pied presseur. En fonction des marques et des modèles de machines à coudre, il peut prendre divers aspects – il prend le nom de

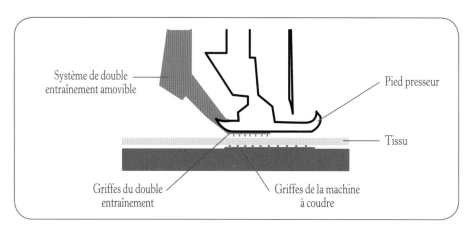

Fonctionnement du double entraînement intégré à la machine à coudre.

IDT (double entraînement intégré) chez Pfaff, de système Accu-feed sur les machines de la marque Janome, etc. – mais le principe de fonctionnement reste le même.

Système de double entraînement Accu-feed de la marque Janome.

Système de double entraînement des machines Pfaff, appelé IDT.

Si votre machine à coudre ne possède pas ce système, vous pouvez utiliser un pied spécial appelé pied double entraînement (nommé parfois pied double transport ou encore pied transporteur). Il en existe des standards, pouvant convenir à toute machine à coudre. Impressionnant par son volume, ce pied fait avancer les différentes couches de tissu au moyen de crans présents sous la semelle du pied presseur. Il ne glisse pas sur le tissu comme le font les autres pieds presseurs ; à l'inverse, il se lève et s'abaisse au rythme des griffes d'entraînement de la machine à coudre, accrochant ainsi toutes les épaisseurs de tissu et les faisant avancer à la même vitesse.

Le porte-pied et le pied presseur ne font qu'un.

Pour installer ce pied, ôtez le porte-pied d'origine de la machine à l'aide du tournevis de la machine à coudre (fig. 1) et remplacez-le par le pied double entraînement : serrez bien la vis qui maintient le pied à la barre (fig. 2).

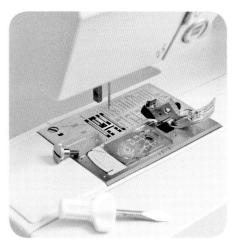

Fig. 1

Fig. 2   Fig. 3

Attention, au moment d'installer le pied, faites en sorte de placer le levier latéral du pied double entraînement au-dessus du pince-aiguille qui sert à fixer l'aiguille (fig. 3).

Les dents du pied (en blanc sur la photo) viennent agripper le tissu pour le soulever et le faire avancer.

Exemple du matelassage

Le matelassage (ou quilting) nécessite d'utiliser le double entraînement pour que toutes les couches de tissu (dessus, molleton et doublure) se déplacent à la même vitesse (retrouvez les détails du matelassage page 89).

Tissus fins et légers

Qu'ils soient souples ou secs, les tissus très fins ne sont pas aisés à coudre. La finesse de la trame et la légèreté de ces matières exigent de prendre quelques précautions pour les travailler avec succès.

Voici comment coudre les mousselines, les voiles, les Liberty qualité Tana Lawn, les organdis, les organzas, les percales, les batistes, les doublures, les crêpes Georgette…

MÉMO

- **Aiguille taille 60 ou 70, normale ou microtex.**
- **Fil fin (n° 80 à 120).**
- **Point droit.**
- **Pied point droit.**

Point droit.

Préparer la couture

Au moment de découper les pièces de tissu, pensez à augmenter les surplus de couture. De cette façon, le pied presseur appuie sur une réserve de tissu plus large et l'entraînement est meilleur.

Choisissez des aiguilles fines (taille 70) ou très fines (60) ; des aiguilles normales peuvent très bien convenir, mais si vous trouvez que l'aiguille pénètre mal dans le tissu, essayez des aiguilles microtex (aussi nommées microfibres, car elles sont destinées à l'origine à la couture de la microfibre) en taille 60 ou 70. Ces dernières conviendront mieux aux tissus à trame serrée, car leur pointe est acérée.

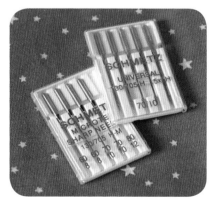

Préparer une canette pour tissu fin

Quand vous confectionnez une canette de fil destiné à la couture d'un tissu très fin, ne la bobinez pas trop vite, mais à vitesse moyenne, afin que le fil soit moins tendu et ne fasse pas froncer la couture.

Le fil devra être fin, c'est-à-dire une taille de fil située entre 80 à 120. Par exemple, les fils Seralon et Métrosène de la marque Mettler conviennent parfaitement.

Pour le fil de canette, utilisez le même fil. Vous pouvez aussi prendre du fil de canette pour broderie (fil en polyester) : plus fin, plus souple, il se fait plus discret et convient très bien à la couture des tissus très fins.

Fils Seralon n° 100 de la marque Mettler et tissus collection Première Étoile, Motif Personnel.

Pour les coutures, choisissez un point droit assez court, soit 2 à 2,5 mm. Si le point droit fait plisser le tissu lorsque vous cousez des tissus extrêmement fins (comme les mousselines), préférez-lui alors un point zigzag extrêmement serré (3 mm de long et 1 mm de large). La tension du fil d'aiguille ne doit pas être trop importante pour éviter de faire froncer le tissu ou de voir le fil de canette sur l'endroit.

Coudre sans souci

Le principal souci avec les tissus fins réside dans le fait que, parfois, la machine à coudre entraîne mal le tissu, voire que ce dernier glisse sous la plaque d'aiguille, agrippé par les griffes d'entraînement. Voici différentes solutions pour pallier ce problème (selon les machines, une seule peut suffire ou bien il faudra en combiner plusieurs) :

• augmentez la pression du pied presseur pour améliorer l'entraînement entre pied et griffes d'entraînement (voir page 58) ;

• placez du papier fin – du type papier de soie – ou encore un renfort de broderie (hydrosoluble, de type NT Aqua Plus de la marque Ecofil) sous le tissu et cousez l'ensemble. Une fois le travail de couture terminé, déchirez le papier ou éliminez le renfort en mouillant votre projet ;

• utilisez le pied point droit combiné à une plaque d'aiguille pour point droit. En effet, la plaque d'aiguille installée sur votre machine vous permet à la fois de piquer du point droit, du point zigzag et d'autres points fantaisie, tandis que la plaque pour point droit ne permet que la piqûre au point droit : l'espace prévu dans la plaque pour l'aiguille est limité ; de ce fait le tissu ne peut pas être entraîné sous la plaque.

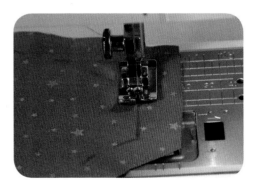

Pied point droit : avec sa large semelle, il est bien adapté à la couture des tissus fins car il les plaque uniformément sur les griffes d'entraînement.

Pour installer la plaque d'aiguille pour point droit, dévissez ou déclipsez la plaque d'aiguille d'origine et installez celle pour point droit à la place. Configurez le point de couture sur un point droit, centré sur le trou de la plaque d'aiguille : vérifiez en faisant descendre doucement l'aiguille grâce au volant de la machine à coudre.

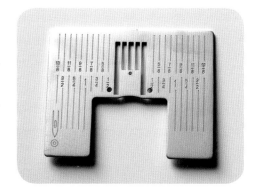

Plaque d'aiguille pour point droit de la marque Pfaff.

Sur la plupart des machines à coudre, il faut changer la plaque d'aiguille. Mais pour certaines, un système permet, en appuyant juste sur une touche, de combler l'ouverture prévue pour le point zigzag et d'obtenir une plaque point droit.

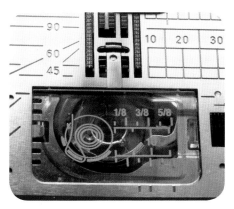

Fig. 1
Convertisseur automatique de la plaque d'aiguille de la marque Janome : la plaque est ici configurée pour le point zigzag.

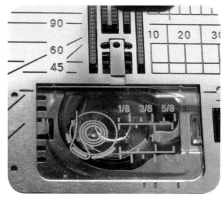

Fig. 2
La plaque est ici configurée pour le point droit.

163

Techniques à favoriser

Certaines techniques de couture conviennent particulièrement bien aux tissus fins et sont donc à favoriser.

Couture anglaise

La couture anglaise (*french seam* pour les anglophones) est une couture qui enferme les bords à vif du tissu. Cette technique apporte une finition très soignée sur l'envers, qui convient aux tissus très fins et délicats. Il faut la réserver aux coutures droites ; en effet, dans le cas d'une couture où l'arrondi est très marqué, la couture anglaise ne peut être crantée.

Pour la réaliser, prévoyez des marges de couture un peu plus larges que d'habitude.

Elle se réalise en deux temps :

• Placez les deux épaisseurs de tissus envers contre envers. Piquez la première couture sur l'endroit du tissu, dans la marge de couture. Recoupez le surplus de couture à 2 ou 3 mm de cette piqûre (fig. 1).

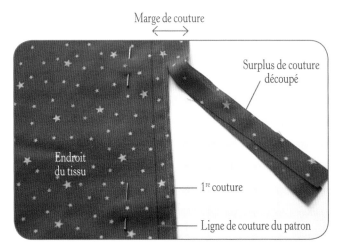

Fig. 1

• Retournez le travail sur l'envers. Repassez, placez les tissus endroit contre endroit et piquez la seconde couture sur la ligne de couture (fig. 2).

Sur l'endroit, la couture semble normale (fig. 3), et sur l'envers on obtient un petit pli cousu.

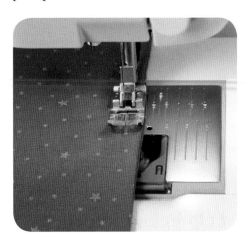

Fig. 2

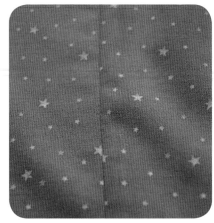

Fig. 3
Couture anglaise vue sur l'endroit du projet.

Ourlet roulotté

Pour ourler les tissus fins, pensez à utiliser la technique de l'ourlet roulotté (appelé aussi ourlet roulé ou ourlet étroit). Cet ourlet fin est constitué de deux replis étroits. Il sied bien aux tissus fins et fluides, pour lesquels un ourlet classique ne convient pas toujours.

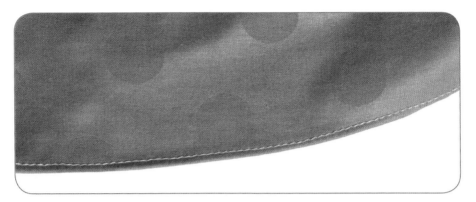

Ourlet roulotté.

Réalisé avec le pied ourleur, vous obtenez en une seule étape un ourlet fin et léger de quelques millimètres de large (fig. 1). Ce pied possède un petit ergot qui replie deux fois le tissu sur lui-même. Sous le pied, il y a une rainure : elle correspond à la largeur de l'ourlet que vous obtiendrez. Il existe des pieds de différentes largeurs : 2, 3, 4 et 6 mm (fig. 2 et 3).

Le travail avec le pied ourleur se fait sur l'envers du tissu ; c'est donc le fil de canette qui sera visible sur l'endroit. Pensez à choisir une couleur de fil qui convienne. Cousez lentement en accompagnant le tissu, qui ne doit s'enrouler ni trop ni trop peu dans le petit ergot du pied.

Fig. 1
Pied ourleur.

Fig. 2
Pieds ourleurs de 2, 4 et 6 mm endroit.

Fig. 3
Pieds ourleurs de 2, 4 et 6 mm envers.

C'est avec le point droit que cette finition est habituellement réalisée, mais certains pieds presseurs permettent aussi d'utiliser le point zigzag. Vous obtiendrez alors une finition différente (voir page 94).

Il existe plusieurs façons de l'utiliser, selon que vous avez une pièce de tissu ouverte à ourler ou bien que la pièce de tissu est continue (bas d'une robe, tour d'une manche).

Si le morceau de tissu à ourler possède un début et une fin (vous ourlez avant d'assembler), voici deux façons de procéder à la couture ; les deux sont intéressantes mais vous serez sûrement plus à l'aise avec l'une ou l'autre :

• Tirez les fils d'aiguille et de canette pour en obtenir une dizaine de centimètres. Piquez quelques points droits au début du tissu (sur l'envers), relevez l'aiguille et le pied presseur et dégagez le tissu (fig. 1) ; coupez les fils de fin de couture mais ne coupez pas les fils de début de couture d'aiguille et de canette. Engagez le tissu dans le pied ourleur en tenant d'une main le tissu devant et en tirant de l'autre main sur les fils laissés longs : ces derniers vont vous aider à enrouler le tissu dans l'ergot (fig. 2).

 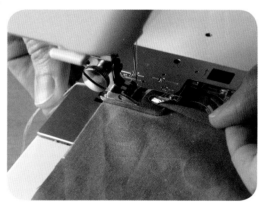

Fig. 1   Fig. 2

• Dessinez deux lignes écartées de la valeur de l'ourlet à réaliser sur la zone où vous allez débuter cette couture. Coupez l'angle du tissu de deux fois la valeur de l'ourlet réalisé par le pied ourleur. Pliez le début du tissu selon les lignes. Présentez le coin replié dans l'ergot du pied ourleur et commencez à piquer.

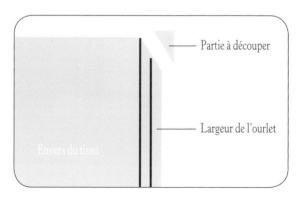

Préparation du tissu pour une insertion facile dans le pied ourleur.

Si votre tissu à ourler est continu (en tube, vous avez déjà monté votre projet), choisissez un endroit du tissu qui sera peu visible une fois porté pour y commencer la couture. Avec votre ongle, faites un premier pli de 2 à 3 mm de large sur une longueur de 5 à 6 cm. Puis réalisez un second pli ; écrasez bien l'ensemble avec votre ongle ou au fer à repasser (fig. 3).

Glissez ce repli sous le pied presseur, envers vers vous, et commencez à piquer. Veillez à la position latérale de votre aiguille : cette dernière doit venir piquer sur le repli pour traverser les trois épaisseurs de tissu. Réalisez quelques points et sécurisez la couture, puis relevez le pied presseur en laissant votre aiguille plantée dans le tissu. Les replis du tissu viennent se mettre dans l'ergot, nécessitant parfois un peu d'aide. Une fois le tissu roulé dans l'ergot, continuez la couture (fig. 4).

Fig. 3
Le repli est ici maintenu au moyen d'une épingle, que l'on retire avant de glisser le tissu sous le pied presseur.

Fig. 4
Guidez de façon régulière le tissu dans l'ergot.

Quand vous arrivez à une couture d'assemblage, ralentissez la couture ; vous aurez besoin de soulever le pied presseur pour faire passer les surplus de la couture perpendiculaire à l'ourlet. Pour cela, pensez à laisser l'aiguille piquée dans le tissu avant de relever le pied presseur.

Dans ce cas de figure (ourlet en continu), vous allez revenir aux premiers points réalisés ; pour terminer l'ourlet, il faudra désengager le tissu du pied ourleur 2 cm avant la fin de la couture, puis finir de coudre en laissant le tissu se plier tout seul sous le pied presseur.

Pour réaliser un ourlet roulé sans pied ourleur, la technique est un peu plus longue. Prévoyez 2,5 cm de marge de couture par rapport à la ligne d'ourlet. Réalisez un pli au fer à repasser à 2 cm du bord du tissu et piquez au point droit à 1 mm du bord, sur l'envers du projet (fig. 5).

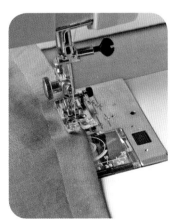

Fig. 5

Tissus denses et épais

Voici des techniques et conseils pour coudre sans encombre les tissus épais comme le denim (jean), les lainages lourds, les gabardines et sergés. La présentation ci-dessous est faite en cousant du denim, mais vaut pour tous les tissus épais.

• **Aiguille jeans taille 90 à 110.**
• **Fil polyester (n° 40 à 80).**
• **Point droit.**
• **Pied multifonction.**

Point droit.

À utiliser spécialement pour...

L'ourlet roulotté est la finition discrète qui convient idéalement pour ourler une pièce de tissu coupée dans le biais ou pour finir l'ourlet d'une jupe en arrondi.

Fig. 6

Fig. 7

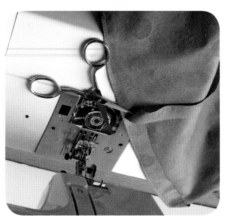

Recoupez aux ciseaux les surplus de couture, au plus près de la piqûre (fig. 6).

Roulez le tissu au niveau de la première piqûre, envers contre envers. Piquez au point droit au-dessus de cette première piqûre. Roulez le tissu au fur et à mesure que le tissu avance sous le pied-de-biche (fig. 7).

Préparer la couture

Tout d'abord, employez des aiguilles adaptées, c'est-à-dire des aiguilles jeans : elles ont la particularité d'avoir une pointe qui pénètre facilement dans ces tissus à l'armature serrée. Leur tige est renforcée pour éviter les points sautés et la casse. À défaut, vous pouvez utiliser une aiguille standard, mais de plus grande taille (une taille 100, par exemple).

Côté fil, privilégiez un fil polyester, solide et résistant ; sa taille pourra varier d'un n° 40 à un n° 80, en fonction de la taille de l'aiguille (voir chapitre 1, page 25). Utilisez le même fil dans la canette.

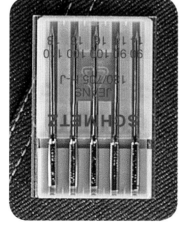

Aiguilles jeans.

Le denim comme les gabardines nécessitent souvent d'être surpiqués : la surpiqûre renforce les coutures tout en apportant une décoration. Vous utiliserez du cordonnet ou du fil normal, de couleur contrastée ou sur un ton, selon l'effet recherché (voir la surpiqûre page 80).

Les tissus épais se cousent au point droit d'une longueur de 3 à 3,5 mm : ce réglage permet un entraînement du tissu plus efficace et garantit une couture plus aisée. Cousez doucement en début de couture puis passez à une vitesse moyenne. Essayez d'éviter les à-coups qui peuvent fragiliser votre casser l'aiguille.

Renforcer une couture

Pour renforcer les coutures soumises à de nombreuses tensions (entre-jambe de pantalon, ceinture, poignée de sac...), utilisez le point droit triple (nommé aussi point coulé). Ce point sécurisé apporte beaucoup de solidité à la couture.

À gauche, un point droit et à droite, un point triple, réalisés tous deux avec le même fil.

Point Point
droit triple.

Si la machine peine à faire pénétrer l'aiguille dans le tissu quand les épaisseurs se multiplient, tentez d'y parvenir en actionnant doucement le volant. Il est aussi possible de relever l'aiguille dans sa position la plus haute, soulever le pied presseur et déplacer le tissu vers l'arrière, de quelques millimètres ; de cette façon, l'aiguille trouve un terrain plus favorable, là où les épaisseurs sont moindres. Dans tous les cas, changez l'aiguille dès que possible pour une aiguille d'une taille au-dessus. Ces désagréments sont la preuve que l'aiguille est sous-dimensionnée.

Limiter les épaisseurs à coudre

Quel que soit le moyen employé (fer à repasser, marteau, rouleau à pâtisserie...), aplatir au maximum les épaisseurs facilite grandement la couture des tissus épais. Le pied rouleau (voir page 184) peut également être utilisé : le rouleau placé à l'avant du pied presseur aplanit le tissu avant que l'aiguille ne vienne piquer.

Concernant le pied presseur, un pied point droit ou un pied multifonction conviennent (voir page 93). Vous aurez peut-être besoin de diminuer la pression du pied pour une couture plus aisée. Afin d'améliorer encore l'entraînement de la machine et faciliter la couture, vous pouvez utiliser un pied à double entraînement ou bien activer le double entraînement de votre machine à coudre si celle-ci possède cette fonction.

Double entraînement activé à l'arrière du pied presseur de cette machine à coudre Pfaff.

Attention à l'élasticité

Certains tissus épais contiennent un peu d'élasthanne pour les rendre extensibles et donc plus confortables : pendant la couture, veillez à ne pas étirer et déformer le tissu. Laissez l'entraînement de la machine à coudre faire son travail.

Réaliser un ourlet de jean

Au moment de préparer les ourlets, éliminez le plus possible de tissu afin d'éviter les surépaisseurs. Après la couture des côtés des jambes, ouvrez les surplus de couture au fer à repasser en appuyant fortement pour écraser les épaisseurs de tissu. À l'intersection des coutures, pensez à tailler les extrémités des surplus de couture en pointe, là encore pour minimiser les épaisseurs.

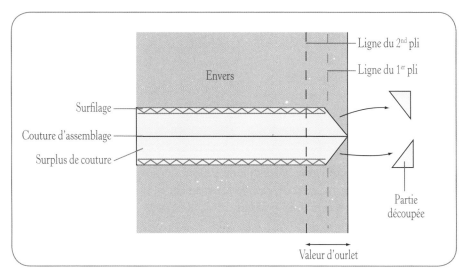

Découpe des coins des surplus de couture avant de réaliser un double ourlet.

On réalise traditionnellement sur les jeans un **double ourlet surpiqué**.

Une fois la longueur de jambe déterminée, effectuez deux plis dans la valeur de l'ourlet et repassez au fer. Veillez à ce que ces plis soient bien de la même largeur tout autour de la jambe en vous aidant, par exemple, de votre couturomètre.

Appuyez bien à la jonction des coutures des devant et dos de jambe et maintenez en place au moyen d'épingles ou de petites pinces.

Dans cet exemple, l'ourlet est constitué d'un premier pli de 1,5 cm et d'un second de 2 cm. Le tout est, avant couture, maintenu par des épingles.

C'est le fil de canette qui sera visible sur l'endroit de l'ourlet : préparez donc une canette avec le fil que vous souhaitez montrer. Généralement, on utilise un fil à surpiquer dans la canette. Installez le bras libre de la machine à coudre pour être plus à l'aise. Placez un fil polyester classique comme fil d'aiguille et l'aiguille à jeans taille 100 au minimum.

Choisissez un pied presseur qui facilite le travail, comme un pied avec guide de couture, qui permet d'obtenir des ourlets toujours à même distance du bord.

Canette bobinée de fil cordonnet Mettler n° 30.

Sélectionnez un point droit, allongez sa longueur pour obtenir un point de 3,5 mm de long. Augmentez un peu la tension du fil d'aiguille pour que le fil de canette soit bien tendu sur l'endroit du tissu et faites des essais de couture.

Quand le point de couture est réglé, glissez l'ourlet sous le pied presseur, envers du travail vers vous. Piquez au bord du repli de façon à ce que l'aiguille traverse toutes les épaisseurs de tissu qui forment l'ourlet. Cousez en rond et arrêtez les fils. Réalisez l'ourlet de l'autre jambe.

L'ourlet est piqué sur l'envers de la jambe. La couture est ici réalisée avec le double entraînement et un pied presseur avec guide de couture.

Les ourlets finis, sur l'endroit et sur l'envers.

Ourlet simple

Si un ourlet classique engendre trop d'épaisseur pour votre machine à coudre, éludez le problème en réalisant un ourlet simple (voir page 109).

Pour vous aider à gérer les surépaisseurs, récupérez une vieille boîte d'aiguilles ou faites l'acquisition d'une languette passe épaisseur (aussi nommée plaque élévatrice). Ce petit accessoire permet de compenser la différence de niveaux que l'on rencontre quand on coud, entre autres, les ourlets de jeans. Il s'agit d'aider la machine à coudre à gérer la différence de hauteur que crée la surépaisseur, en mettant à niveau le pied presseur.

Pour cela, juste avant que le pied presseur n'arrive au niveau de la surépaisseur, laissez l'aiguille plantée dans le tissu, relevez le pied presseur et glissez dessous la boîte ou la languette. Veillez à ce que le pied presseur repose complètement sur la languette. Abaissez le pied presseur ; il se trouve à la bonne hauteur, bien stable et ne

Différentes plaques élévatrices.

Couture à l'aiguille double

Pour réaliser des ourlets ou surpiqûres doubles, parfaits sur le denim et les tissus épais, pensez à l'aiguille double spéciale jeans 4,0/100. En une seule opération, vous piquez une double rangée de surpiqûres sur le denim ou toutes autres matières épaisses (voir l'utilisation d'une aiguille double page 65).

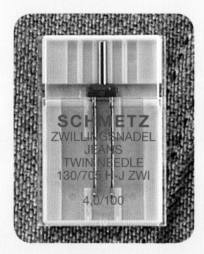

Aiguille jeans double.

Poche arrière ourlée à l'aiguille double et barrette de renfort.

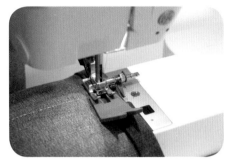

Fig. 1

Fig. 2

bascule pas : le point de couture est alors régulier (fig. 1). Continuez la couture et retirez la languette dès que le pied presseur ne repose plus du tout dessus.

La méthode est identique pour compenser la fin de la surépaisseur ; les languettes sont munies d'une encoche permettant le passage de l'aiguille (fig. 2).

Ces techniques de couture d'ourlet peuvent vous servir pour de nombreuses autres matières.

Coudre une barrette

Barrette.

Une barrette est une petite succession de points qui permet de consolider les coutures d'un vêtement qui sont susceptibles de subir des tensions régulières, comme les ouvertures des poches, la jonction de la braguette, les passants de ceinture ou encore l'extrémité d'une fente. On la nomme également renfort ou arrêt de couture.

Sur certaines machines à coudre électroniques haut de gamme, cette barrette existe en tant que point préprogrammé. Elle se compose alors d'un ou deux points droits, recouverts d'un point zigzag serré. Elle mesure environ 2 cm de long mais vous pouvez parfois en modifier la longueur comme la largeur et la densité. Sur certaines machines, vous en déterminez vous-même la longueur en utilisant le pied à boutonnière automatique. Réalisez-la alors comme si vous faisiez une boutonnière, en centrant le repère du pied presseur sur le point de départ de la barrette.

Barrette destinée à consolider l'ouverture de la braguette d'une salopette.

Si votre machine ne possède pas ce point spécial, sélectionnez un point de bourdon (zigzag serré) de la largeur de votre choix et piquez sur la ligne de couture à renforcer. Déterminez la longueur que vous désirez, selon le rendu esthétique recherché.

Votre machine à coudre propose peut-être d'autres motifs de renfort pour remplacer une barrette : ces points préprogrammés se réalisent la plupart du temps avec le pied de broderie et peuvent prendre différents aspects.

Exemples de types de renforts proposés par les machines à coudre électroniques : croix, triangles, abeille...

Le cas du tissu polaire

Dense et épais, ce tissu ne nécessite pas d'être surfilé. Mais, en fonction de sa densité et de son élasticité, il n'est pas toujours évident à coudre. Je vous conseille d'utiliser une aiguille jeans si le tissu est très épais ou une aiguille microtex s'il est plutôt fin. Si le tissu s'étire pendant la couture et que la pièce du dessus se décale, pensez à utiliser un pied rouleau (voir page 184) ou bien un pied double entraînement.

Réaliser des passants de ceinture

Que ce soit pour un jean, pour un pantalon plus classique ou encore pour une jupe, voici comment confectionner des passants de ceinture en utilisant une aiguille double.

Découpez une bande de tissu de 3 à 4 cm de large et d'une longueur de 40 cm (ce qui correspond à la réalisation de cinq passants). Le droit-fil de la bande doit être parallèle à sa longueur.

Surfilez une des longueurs avec un point de surfilage adéquat en fonction du tissu (voir page 54).

Pliez la bande en trois dans le sens de sa largeur à l'aide d'un fer à repasser, de façon à ce que la longueur surfilée vienne recouvrir celle qui est non surfilée.

Passant réalisé avec une aiguille double spéciale jeans et du fil à surpiquer.

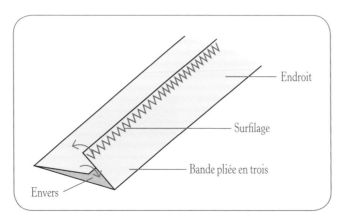

Schéma de confection du passant.

Préparez la machine à coudre en installant une aiguille double spéciale jeans 4,0/100 et deux fils d'aiguille identiques (voir l'installation de l'aiguille double page 65), ce peut être du fil normal polyester ou bien du fil à surpiquer. Placez la bande pliée sous le pied presseur, endroit vers vous. Utilisez les bords du pied et les repères de ce dernier pour centrer la couture.

Une fois la bande cousue de part en part, découpez-la en cinq passants de même longueur et assemblez chaque passant à la ceinture du vêtement.

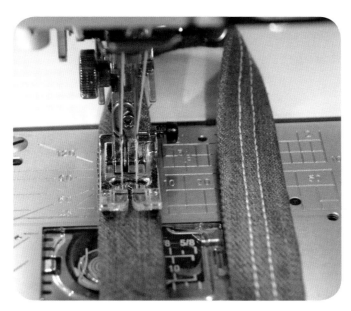

Couture du passant.

Tissus extensibles

Les jerseys, interlocks et autres tissus tricotés sont des matières très agréables à porter mais pas toujours faciles à travailler à la machine à coudre. Voici donc quelques conseils pour coudre les tissus extensibles.

MÉMO

- **Aiguille jersey ou stretch taille 70 à 90.**
- **Fil polyester (n° 80 à 100) ; fil mousse.**
- **Point tricot extensible et point overlock.**
- **Pied multifonction.**

Point tricot extensible.   Point overlock.

Préparer la couture

Privilégiez l'utilisation d'une aiguille jersey (*ball point*, pointe arrondie) ou stretch ; cette dernière s'utilise plutôt pour travailler les tissus très élastiques (comme les bi-extensibles, jerseys de viscose, de soie, Lycra…). Leurs pointes à bille préservent les fils du tissu en les écartant au lieu de les perforer. L'aiguille stretch a, en outre, un chas et une encoche spécifiques qui évitent les points sautés. Ayez toujours un jeu de chaque, et dans différentes tailles, pour réaliser les échantillons de couture de votre projet : selon le tissu, l'une ou l'autre conviendra mieux.

Utilisez un fil polyester classique, aussi bien pour la canette que pour le fil d'aiguille.

Vous pouvez également employer un fil appelé fil mousse : il en existe de différentes sortes, en polyester ou en polyamide. À la fois léger et volumineux, c'est un fil très résistant. Extensible, il s'avère adéquat pour coudre les tissus élastiques. Il est doux, aussi on l'utilise

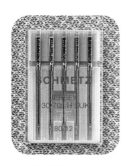

Aiguilles jersey.

Aiguilles stretch.

fréquemment pour la lingerie, les vêtements de sport et tout ce qu'on porte à même la peau. Enfin, parce qu'il est volumineux et gonflant, il permet de réaliser des coutures décoratives bien couvrantes.

Fils mousse.

Pour utiliser le fil mousse avec la machine à coudre, installez-le aussi bien dans la canette que dans l'aiguille. Utilisez une aiguille jersey et un point élastique. Vous obtiendrez une couture élastique qui convient parfaitement à l'assemblage des tissus extensibles. Avant de coudre, testez les tensions sur une chute de tissu : selon le type de fil mousse utilisé il peut être nécessaire d'abaisser la tension du fil d'aiguille afin de ne pas trop le tendre. Ce fil nécessite moins de tension qu'un fil classique, sous peine de casser.

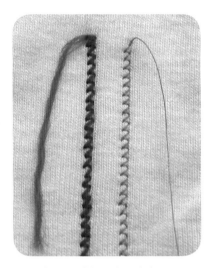

Un point extensible réalisé à droite avec un fil polyester, à gauche avec un fil mousse (Seraflock de Mettler).

Il existe une variété de points de couture permettant de coudre les tissus extensibles ; si votre machine à coudre en propose plusieurs, testez chacun d'entre eux et choisissez celui qui convient le mieux à votre projet.

Si votre machine à coudre n'en propose aucun, configurez un point zigzag (voir page 102) dont vous allongez la longueur et diminuez la largeur, de façon à obtenir un point ressemblant au point tricot extensible.

Réaliser une couture

Point tricot extensible.

Le **point tricot extensible** (aussi appelé point stretch ou point élastique) est l'équivalent du point droit pour les tissus extensibles. Il est élastique et va pouvoir suivre les étirements du tissu.

Au moment de couper vos pièces de tissu, prévoyez des surplus de couture plus importants que d'habitude : 2 cm environ. Il s'agit d'avoir du tissu tout autour du pied presseur, afin d'éviter que le tissu ne glisse ou ne soit entraîné par

les griffes sous la plaque d'aiguille. Vous pouvez utiliser le pied multifonction de votre machine (fig. 1).

Une fois la couture piquée, recoupez aux ciseaux les surplus de couture pour les réduire à 0,5 ou 1 cm (fig. 2). Vous pouvez laisser le tissu à cru.

Fig. 1	**Fig. 2**
Piquez le long de la ligne de couture.	

C'est aussi avec ce point de couture que vous pouvez ajouter un passement (de préférence élastique) sur votre tissu ou réaliser des surpiqûres sur du jersey, tout en gardant l'élasticité du tissu.

179

Élastique festonné cousu au point tricot extensible.

Surpiqûre réalisée au point tricot extensible pour finir le bord élastique de ce débardeur.

Le **point overlock** assemble et surfile les tissus extensibles en une seule et même opération. Ce point peut prendre différents aspects selon les machines à coudre, mais il se compose au minimum d'un point droit, à aligner sur la ligne de couture, et d'un point zigzag pour finir le bord du tissu.

Pour réaliser une couture sur un tissu extensible avec le point overlock, placez les deux pièces de tissu à assembler endroit contre endroit.

Point overlock.

Soit vous réalisez le point overlock le long de la ligne de couture et vous recoupez au plus près, sans entamer le point de couture (comme pour le surfilage page 103), soit vous déterminez votre surplus de couture de façon à ce qu'il soit de la largeur du point overlock. Cousez le point de sorte que l'aiguille pique juste au bord du tissu quand elle réalise le zigzag à droite. Aidez-vous des repères que vous offre le pied presseur (fig. 1 et 2).

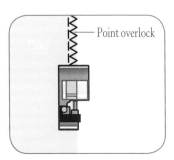

Fig. 1
Avec le pied overlock Janome, alignez la partie
avant du pied avec le bord du tissu.

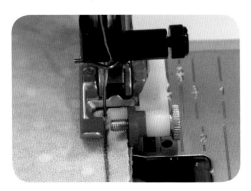

Fig. 2
Chez Pfaff, c'est le pied pour couture invisible
que l'on utilise pour ce type de couture, en alignant
le repère rouge sur le bord du tissu.

Comment éviter que la couture gondole ?

Pour éviter qu'après couture le tissu ne fasse des vagues disgracieuses, vous pouvez :

– réduire la pression du pied presseur ;

– utiliser de l'entoilage thermocollant hydrosoluble qui stabilise le jersey (voir page suivante) quand cela est possible ;

– coudre avec le double entraînement ;

– passer un fil de fronces : avant de réaliser la couture, exécutez un point de bâti en prenant les deux épaisseurs à assembler et au moment d'arrêter le fil, serrez-le très légèrement sur toute la longueur de la couture. Le but est d'empêcher le tissu de s'étirer pendant la couture ;

– utiliser un pied rouleau, après avoir vérifié sur une chute qu'il n'abîme pas le tissu.

Réaliser un ourlet

Ourlet classique

Pour confectionner les ourlets sur les matières extensibles (mais aussi sur les tissus tissés, voir page 110), vous pouvez utiliser une aiguille double. Ici, choisissez une aiguille double spéciale jersey.

Marquez l'ourlet au fer à repasser. Découpez une bande de 2 cm de large d'entoilage thermocollant hydrosoluble (comme le Soluweb de la marque Vlieseline) pour un ourlet de 2,5 cm de large. Placez cette bande dans l'ourlet, entre les deux épaisseurs de tissu (fig. 1).

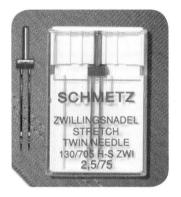

Aiguille jersey double.

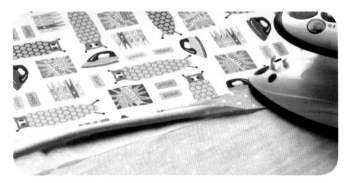

Fig. 1

Appliquez le fer à repasser sur l'ourlet pour le thermocoller. Attendez que le tissu refroidisse et vérifiez que les deux épaisseurs de tissu sont bien maintenues ensemble. Vous obtenez un ourlet collé provisoirement ; l'entoilage a légèrement rigidifié le tissu, ce qui va faciliter la couture.

Préparez une canette de fil polyester ou de fil mousse et placez-la dans son boîtier. Installez l'aiguille double comme montré page 65.

Ici, un ruban à masquer sert de guide pour réaliser l'ourlet à distance constante du bord.

Le pied avec guide de couture permet de réaliser des coutures d'ourlet toujours à bonne distance du bord.

181

Placez le tissu pour coudre sur l'endroit du vêtement : l'aiguille double doit piquer en bordure de l'ourlet, qui lui est sur l'envers. Une fois que vous avez déterminé l'emplacement où l'aiguille doit piquer, calez le bord du vêtement pour coudre toujours à la même distance. Aidez-vous des repères de la plaque d'aiguille ou d'un pied avec guide de couture.

Ourlet réalisé à l'aiguille double avec fils polyester dans les aiguilles et un fil mousse dans la canette.

Utilisez également l'aiguille double pour surpiquer le jersey.

Point large

À défaut d'aiguille double, réalisez la couture de l'ourlet au moyen d'un point de couture assez large (4 mm et plus) : la largeur du point maintiendra bien en place la bordure de l'ourlet sur l'envers. Cela peut être un point de couture décoratif ou bien un point appelé faux point de recouvrement si votre machine à coudre le propose (il imite un des points de couture de la recouvreuse, le double point de recouvrement).

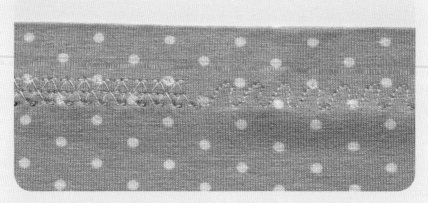

Deux points larges décoratifs différents utilisés ici pour coudre l'ourlet.

Ourlet ondulé

L'ourlet ondulé (aussi appelé ourlet laitue – *lettuce hem* en anglais) est une finition des bords qui convient particulièrement bien aux tissus élastiques. Pour être réussi, il se réalise dans le sens de la trame du tissu (largeur), le sens dans lequel le tissu s'étire le plus.

Réglez la machine à coudre sur un point zigzag assez large (4 mm par exemple) et très serré (1 mm de longueur). Pliez le bord du tissu à ourler envers contre envers, sur 1 ou 2 cm de large et sur toute la longueur à ourler. Positionnez le tissu sous le pied presseur, endroit vers vous, de façon à ce que la piqûre de droite du point zigzag tombe pile à l'extrémité du tissu (fig. 1).

Fig. 1
Piqûre de l'ourlet ondulé.

Piquez en étirant le tissu devant et derrière le pied presseur : essayez d'exercer toujours la même tension avec vos mains pour obtenir une ondulation régulière. Plus vous étirez, plus l'effet ondulé est important.

Une fois le point de couture réalisé, retirez l'excédent de tissu présent sur l'envers, en coupant le plus près possible du point zigzag (fig. 2).

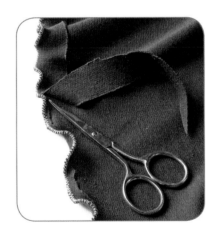

Fig. 2
Finition de l'ourlet aux ciseaux.

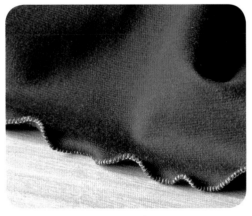

Ourlet ondulé.

Marier matières extensible et non extensible

Envie de poser un biais tissé, une dentelle non élastique ou encore un empiècement de cotonnade sur un tissu jersey ? Assemblez-les en positionnant toujours votre tissu ou passementerie non extensible sur le tissu élastique pendant la couture. C'est le tissu extensible qui doit être au contact des griffes d'entraînement, sinon il sera étiré pendant la couture.

Cuir, similicuir et tissus enduits

Les matières enduites (telle la toile cirée), le cuir et le similicuir présentent une surface lisse sur l'endroit, que la machine à coudre ne gère pas toujours de façon satisfaisante. Voici quelques conseils qui valent également pour la suédine et toutes les matières plastifiées.

- **Aiguille cuir taille 80 à 120, aiguille microfibre taille 70 à 90.**
- **Fil polyester épais (n° 30 à 60).**
- **Point droit.**
- **Pied Téflon, pied rouleau.**

Pied Téflon.

Pied rouleau.

Point droit.

Préparer la couture

Pour obtenir un résultat satisfaisant, utilisez des aiguilles cuir pour les tissus enduits et le cuir d'épaisseur moyenne ou importante, et des aiguilles microfibres pour les tissus enduits fins.

Attention, une fois la matière percée, les trous resteront, donc évitez de découdre, et vérifiez plutôt deux fois qu'une la ligne de couture avant de la réaliser (si nécessaire, réalisez une toile – un essai – dans un tissu très bon marché).

Aiguilles cuir.

Un fil d'aiguille un peu épais convient à ce type de couture. Bien sûr, l'épaisseur de la matière détermine la grosseur du fil à utiliser. Pour un tissu enduit d'épaisseur moyenne, un fil n° 40 à 60 conviendra très bien. Pour une matière plus épaisse, utilisez plutôt un fil extra-fort (n° 30).

Pour la canette, un fil polyester normal convient.

Le plus souvent c'est le point droit que l'on utilise pour coudre le cuir et les tissus enduits. Le point zigzag est à privilégier par rapport au point zigzag trois temps. Évitez les points de couture qui réalisent des piqûres proches les unes des autres car cela fragilise le tissu. Et surtout, il faut penser à allonger le point de couture : une couture de points de 3 à 4 mm prévient les déchirures.

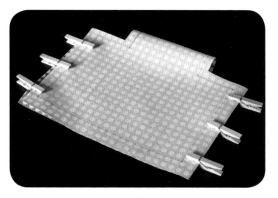
Projet assemblé à l'aide de pinces à linge.

N'épinglez pas les tissus enduits : les épingles laisseraient elles aussi des trous irréparables. Choisissez plutôt de scotcher les parties à assembler, ou encore maintenez-les avec des pinces.

Pieds spéciaux

Certains pieds presseurs facilitent la couture de ces matières.

Le **pied rouleau** facilite le déplacement de la matière à coudre tout en la comprimant, ce qui minimise son épaisseur et simplifie le travail de l'aiguille au moment de la piqûre.

Le **pied Téflon** (aussi nommé pied ultra-glisse), composé de cette matière plastique antiadhérente, ne colle pas aux tissus enduits, ni au cuir ni à la suédine.

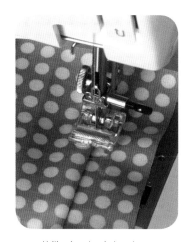
Utilisation du pied rouleau.

Pas de pied Téflon ?

Collez un morceau de scotch sur l'envers de la semelle du pied multifonction. Le scotch limitera les frottements, aidant ainsi le pied à glisser sur le tissu enduit. Le papier de soie est une autre solution de dépannage peu onéreuse : placez le papier entre le pied presseur et le tissu, cousez et déchirez le papier une fois la couture finie.

Pied standard bricolé.

Le **pied double entraînement** (voir page 159), avec sa semelle munie de griffes, convient lui aussi à ce type de matières.

Utilisation du pied Téflon.

Utilisation du pied double entraînement.

Réaliser la couture

La couture superposée (aussi appelée couture chevauchée) est particulièrement adaptée aux matières enduites et aux cuirs car elle permet en une seule piqûre d'obtenir l'aspect d'une couture surpiquée (fig. 1). Elle convient également à tous les tissus qui ne s'effilochent pas.

Marquez les lignes de couture sur l'envers au crayon de papier (fig. 2). Recoupez les surplus de couture afin qu'ils mesurent 1 cm.

Fig. 1

Fig. 2

Repliez sur l'envers, selon la ligne de couture, le surplus de couture de la pièce de tissu qui viendra dessus. Appuyez fortement pour marquer le pli ; pour cela, privilégiez vos doigts plutôt que d'utiliser le fer à repasser.

Positionnez ce repli sur l'endroit de l'autre pièce de tissu, le long de sa ligne de couture. Maintenez en place avec du ruban adhésif ou une colle à bâtir (fig. 3 et 4).

Fig. 3

Fig. 4

Piquez à 2 ou 3 mm du pli : les trois épaisseurs sont prises dans la couture (fig. 5).

Si vous le souhaitez, vous pouvez réaliser une seconde piqûre à gauche de la première, elle maintiendra en place les surplus de couture et accentuera l'aspect surpiqué.

Fig. 5

La colle à bâtir

Cette colle spéciale temporaire ne laisse pas de trace et n'encrasse pas les aiguilles. Très pratique lorsqu'on ne peut pas épingler, elle est une bonne option par rapport à l'adhésif double face.

Tissus à poils et à sens

Les fausses fourrures, le tissu de mohair, les velours, les tissus peluche à poils longs sont des matières tissées (ou parfois tricotées, donc extensibles) sur lesquelles sont fixées des poils plus ou moins longs. Les tissus à poils ras sont plus faciles à coudre que ceux à poils longs, aussi nous nous arrêterons sur ces derniers.

Ces matières nécessitent toujours un plan de coupe prenant en compte le sens : toutes les pièces

du projet doivent être découpées dans le même sens du tissu pour que les poils se dirigent toujours du haut vers le bas. Quelle que soit la matière, il est d'usage de réaliser les coutures dans le sens des poils : on pique donc toujours du haut vers le bas.

On fait une exception pour le velours (que ce soit le velours ras, le jersey-velours, le velours côtelé ou encore la panne de velours) : vous avez la possibilité d'utiliser les deux sens de ces tissus, c'est-à-dire soit les poils vers le bas, les coutures seront alors plus solides parce qu'en adéquation avec la trame, soit les poils vers le haut, le tissu gagnera cette fois en couleur et en reflets.

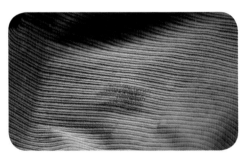

Ce velours côtelé a été brossé à l'envers en son centre, pour mettre en évidence les poils qui constituent le tissu.

Le sens du tissu

Selon la matière du tissu ou bien s'il présente des motifs particuliers, le textile peut être qualifié de tissus avec sens, ce qui signifie qu'il n'est possible de l'utiliser que dans un seul sens. Par conséquent, on ne peut pas, par exemple, poser les pièces de patron tête-bêche. Leur positionnement sur le tissu est donc limité, toutes les pièces étant orientées dans le même sens. Un plus grand métrage de tissu est nécessaire lorsque vous utilisez un tissu avec sens, et les chutes sont nombreuses.

- **Aiguille universelle.**
- **Fil polyester.**
- **Point droit, point zigzag.**
- **Pied multifonction.**

Point
droit.

Point
zigzag.

Coudre de la fausse fourrure

Concernant les tissus à poils longs, plus les poils de la fourrure sont longs, plus il faut prendre de précautions.

Pour la découpe, travaillez sur l'envers ; utilisez un cutter ou la pointe des ciseaux : le but est de ne couper que la trame sans toucher les poils. Les poils intacts permettront de mieux cacher les coutures. Si vous coupez à plat avec toute la longueur des ciseaux (comme on le fait habituellement), les poils seront coupés en même temps.

Découpe de la fausse fourrure avec la pointe des ciseaux.

Une fois la trame découpée, séparez délicatement les deux pièces pour défaire les poils. Secouez les pièces de tissu à l'extérieur.

Quand les pièces sont prêtes à être assemblées, préparez les bords qui doivent être cousus : peignez pour repousser les poils le plus loin possible de la future couture.

189

Choisissez une aiguille standard de taille 80 ou 90 et un fil polyester correspondant à votre aiguille.

Préparez la couture en épinglant deux pièces ensemble, endroit contre endroit (c'est-à-dire poils contre poils). Épinglez toujours du bord vers le centre de la pièce.

Sélectionnez un point droit (2,5 mm) et piquez à quelques millimètres du bord, en poussant les poils vers l'intérieur du tissu à l'aide d'une aiguille à tricoter ou d'une baguette chinoise.

Si le résultat ne vous satisfait pas, utilisez un point zigzag de 4 mm de large : la couture ne présentera pas d'arête et la continuité entre les poils sera plus harmonieuse.

Le pied presseur standard (ou multifonction) convient parfaitement pour ces coutures.

Piqûre de la fourrure à poils longs.

L'outil repousse poils

Une aiguille à tricoter ou une baguette chinoise en bois est idéale pour travailler les tissus à poils synthétiques. En effet, aucune électricité statique ne se produit et l'aiguille n'attire ainsi pas les poils du tissu.

Ourler un tissu à poils longs

C'est l'ourlet rapporté ou faux ourlet (voir page 114) qui donne le résultat le plus satisfaisant : la finition est propre, facile à mettre en œuvre et sans surépaisseur. Vous pouvez utiliser une bande de tissu tissé ou du biais pour réaliser cette finition.

Piquez la bande endroit contre endroit (fig. 1), en suivant les conseils donnés ci-dessus. Puis réduisez les surplus de couture. Rabattez la bande de tissu sur l'envers de la fausse fourrure. Fixez ensuite le bord restant de la bande en utilisant un point zigzag peu large, qui se fera discret sur l'endroit de la fausse fourrure (fig. 2).

Fig. 1
Ourlet réalisé au moyen d'un biais,
cousu d'abord endroit contre endroit.

Fig. 2
Le biais est rabattu sur l'envers du tissu fourrure et cousu.
Il n'est alors plus visible sur l'endroit de la fourrure
et celle-ci est ourlée.

Finitions

Quelle que soit la couture, une fois celle-ci réalisée, sortez les poils qui peuvent être pris dans la couture à l'aide d'une épingle, en travaillant sur l'endroit du tissu. Les poils situés sur les surplus de couture peuvent être coupés, voire rasés si besoin, dans le but de minimiser les épaisseurs.

Enfin, pensez à nettoyer votre machine à coudre une fois votre ouvrage terminé : les peluches et poils se seront glissés sous la plaque d'aiguille ; démontez-la et nettoyez le boîtier de canette (voir page 255).

191

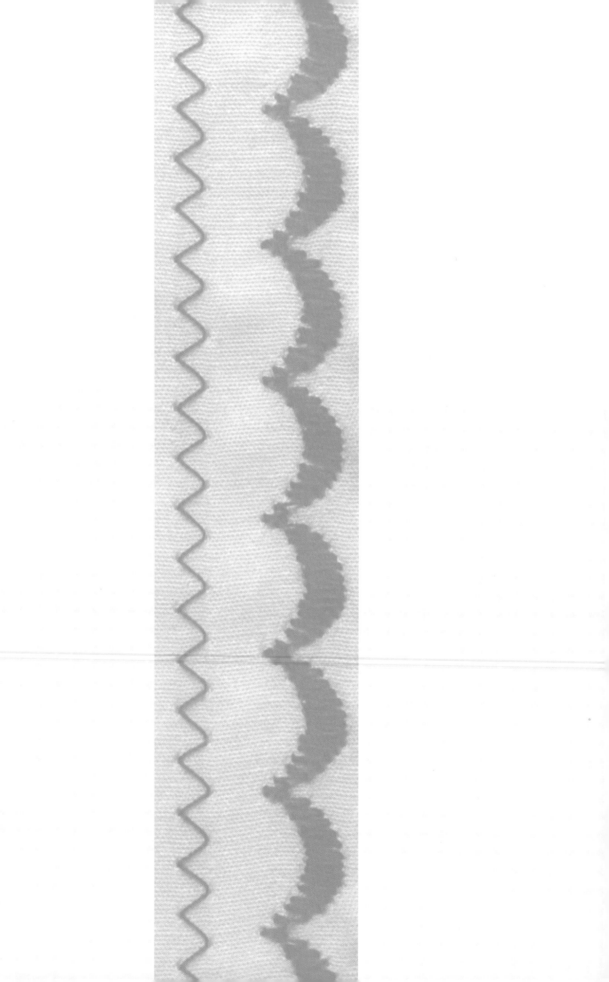

Décorer

Votre machine à coudre possède toutes
les fonctionnalités pour décorer et broder :
elle n'attend plus que vous pour s'y mettre !
Découvrez les différentes techniques à votre
disposition pour agrémenter vos réalisations
de décoration ou de broderie.

Fronces

Les fronces sont très souvent utilisées en couture. Ce sont de tout
petits plis qui diminuent la longueur d'une pièce de tissu, soit
dans un but esthétique – les fronces
apportent une touche d'originalité
tout en donnant de l'aisance –,
soit dans un but technique – faire
coïncider une tête de manche avec
une emmanchure (voir la couture
de soutien page 74).

MÉMO
- **Aiguille et fil adaptés au tissu.**
- **Point droit long ou point de bâti.**
- **Pied point droit ou pied multifonction.**

— — — — —
Point droit.

Adapter la technique au tissu

Tous les tissus ne froncent pas : plus une matière est fine et légère
plus elle fronce facilement. Pour les tissus épais, préférez les plis (voir
page 201).

Sans pied fronceur

Pour froncer une encolure, une tête de manche, un poignet ou encore un
volant, réalisez deux lignes de points de bâti (point droit le plus long que
puisse faire votre machine à coudre, voir page 73), en laissant au début et à
la fin 5 à 8 cm de fils d'aiguille et de canette.

La première ligne est piquée dans les marges de couture et la seconde à
quelques millimètres de l'autre côté de la ligne de couture ; efforcez-vous de
décaler les piqûres de l'aiguille d'une ligne à l'autre, afin d'obtenir de jolies
fronces (voir schéma ci-après). Ces deux coutures doivent être indépen-
dantes : coupez les fils de la première ligne avant de commencer la seconde.
La piqûre des lignes ne doit pas être sécurisée par un aller-retour, ni au début
ni à la fin.

Tirez sur les fils d'aiguille de part et d'autre du bâti pour former les fronces :
serrez jusqu'à obtenir la longueur souhaitée. Arrêtez les bâtis en nouant les
fils d'aiguille et de canette.

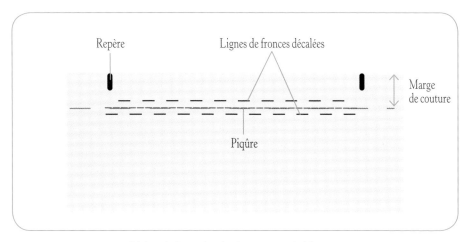

Schéma de formation des fronces sans pied fronceur.

Placez la partie froncée sur le projet pour l'assembler : piquez les épingles perpendiculairement à la ligne de fronces et à la ligne de couture, en répartissant les fronces entre les épingles.

Réglez la machine sur un point droit (2 à 2,5 mm selon le tissu) et piquez entre les deux lignes de bâti. Défaites les bâtis et continuez alors le montage du projet.

Si vous avez de grandes longueurs de tissu à froncer, divisez chaque longueur en parts égales, que vous froncerez indépendamment : le travail sera plus facile et plus régulier ; vous pouvez aussi utiliser un pied fronceur dans ce cas.

Froncer à coup sûr !

Voici une astuce pour froncer efficacement de grandes longueurs de tissu : pied presseur relevé, tirez le fil d'aiguille à travers le chas de l'aiguille. Il vous faut la même longueur de fil que la longueur de tissu à froncer. Placez ce fil sur la ligne de couture de la fronce et abaissez le pied presseur sur le tissu à l'endroit où doit commencer le fronçage. Sélectionnez un zigzag serré (longueur et largeur de 2 mm) et piquez à cheval sur le fil : le zigzag forme un tunnel sur le fil. Une fois le fil recouvert de ce zigzag, sécurisez la fin de la piqûre puis tirez sur le fil pour froncer le tissu.

Avec pied fronceur

Le pied presseur fronceur a pour but de créer rapidement et facilement de petites fronces dans des tissus légers. Le dessous du pied est plus haut derrière l'aiguille : c'est dans cet espace que les fronces vont se former.

Trois facteurs jouent sur l'amplitude des fronces : le poids du tissu, la longueur du point de couture et la tension exercée sur le fil d'aiguille :

- plus le tissu est fin, plus il fronce ;
- plus le point droit est long, plus les fronces sont serrées ;
- plus le fil d'aiguille est tendu, plus le tissu fronce.

Réalisez des tests pour déterminer le degré de fronces qui vous convient. Puis vérifiez la longueur de tissu nécessaire à la confection de votre projet en réalisant un échantillon : dessinez une ligne de 20 cm sur le tissu et piquez les fronces sur cette ligne. Une fois l'échantillon froncé, mesurez la ligne et faites une règle de trois pour connaître la longueur de tissu dont vous avez besoin (par exemple, si le tissu froncé mesure 10 cm, cela signifie qu'il vous faudra deux fois plus de tissu).

Fil smocks

Découvrez le fil fronceur, aussi appelé fil smocks : utilisé en fil de canette, il présente la particularité de se rétracter sous la chaleur. Piquez les points de couture – plus ils sont denses et plus le tissu est léger, plus il

y aura de fronces –, puis passez légèrement la semelle du fer à repasser sur l'envers du tissu (ou projetez de la vapeur avec le fer), et laissez le fil se rétracter pour former des fronces, voire des bouillonnés : c'est une méthode idéale pour faire gaufrer un tissu.

Pensez aussi à l'élastique plat pour réaliser des fronces (retrouvez les explications de la pose d'un élastique page 94).

Si l'ouverture du pied fronceur le permet, piquez avec une aiguille double
pour froncer le bord d'un tissu : cette
technique est particulièrement recom-
mandée sur les tissus très fins ou glissants. La double piqûre stabilise le bord
du tissu et l'empêche de rouler sous
l'effet des fronces.

Si, malgré les réglages, les fronces ne
sont pas suffisamment marquées à
votre goût, appuyez doucement sur le
tissu avec votre doigt, à l'arrière du pied
fronceur, pour gêner l'avancée du tissu
et ainsi obtenir plus de fronces.

Certains pieds permettent de froncer le tissu de dessous tout en assemblant
un second tissu, placé dessus.

Fronces pour smocks

Les smocks sont des broderies réalisées sur des fronces. Vous pouvez réaliser
à la machine les fronces comme les broderies des smocks. La réalisation des
fronces diffère légèrement de la technique sans pied fronceur vue plus haut.

Préparez tout d'abord les fronces en dessinant les lignes de fronces sur le
tissu. Les lignes doivent être parallèles et suffisamment espacées pour pouvoir
coudre le point de broderie : si le point de broderie choisi fait 6 mm, laissez
7 à 8 mm entre les lignes.

Configurez un point droit d'une longueur de 5 mm (ou plus si votre machine
le permet) et piquez sur la ligne de fronces, en ayant pris soin de laisser
5 à 8 cm de fils de canette et d'aiguille derrière le pied presseur. Pour finir la
ligne de fronces, relevez le pied presseur, dégagez le tissu et tirez sur les fils
pour avoir là aussi 5 à 8 cm de longueur. La piqûre des lignes ne doit pas être
sécurisée par un aller-retour, ni au début ni à la fin.

À l'inverse de la fronce à double bâti, ici les lignes de fronces doivent toutes commencer au même point afin que les piqûres soient toutes alignées.

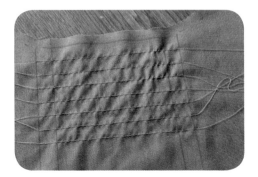

Tracées au feutre lavable, les lignes de fronces sont piquées régulièrement.

Une fois les lignes de fronces piquées, nouez ensemble les fils de canette et d'aiguille de chaque ligne à une extrémité. À l'autre extrémité, tirez sur le fil de canette pour froncer le tissu ; procédez ainsi pour toutes les lignes. Effectuez alors la broderie des smocks (voir page 236).

Les fronces sont brodées.

198

Fronces élastiques

Pratiques, les fronces élastiques donnent de l'ampleur et de l'aisance aux vêtements, les rendant très confortables. Pour les réaliser on utilise du fil élastique, qui existe en blanc, noir et en de multiples couleurs.

Fronces avec le fil élastique dans la canette

MÉMO

- **Fil et aiguille adaptés au tissu.**
- **Fil élastique dans la canette.**
- **Point droit.**
- **Pied multifonction.**

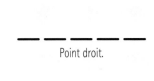

Point droit.

Fil élastique de la marque Mettler.

Sur les tissus fins, le fil élastique est utilisé seulement dans la canette : bobinez la canette à la main sans tendre le fil élastique. Installez la canette dans le boîtier, mais ne refermez pas tout de suite le couvercle du boîtier de canette. Enfilez le fil d'aiguille assorti au projet. Pour faire sortir le fil élastique de la plaque d'aiguille facilement sans l'étirer, baissez l'aiguille à l'aide du volant pour que le fil d'aiguille attrape le fil de canette et le fasse sortir (voir page 50). Une fois le fil élastique sorti, vous pouvez refermer le boîtier de la canette.

Sur l'endroit du tissu, tracez toutes les lignes de fronces puis piquez la première ligne (pensez à laisser environ 5 cm de fils d'aiguille et de canette en début comme en fin de couture). Une fois cette première ligne effectuée, le tissu est froncé. Vous n'avez plus qu'à nouer fil d'aiguille et fil élastique sur l'envers du tissu.

Réalisez les autres lignes en vous efforçant de les coudre à égale distance les unes des autres. Certains pieds presseurs peuvent être utiles, comme le pied de couture à guide réglable ou encore le pied guide bordure. Sécurisez les lignes les unes après les autres.

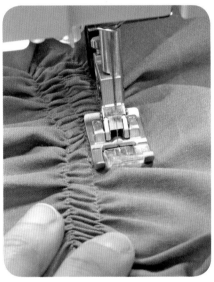

Plus vous multipliez les lignes de fronces, plus l'effet froncé s'accentue.

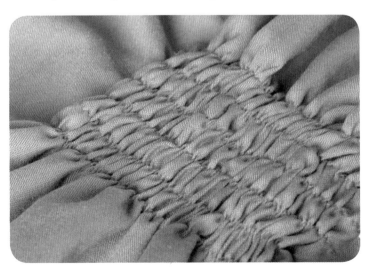

Fronces sur les tissus épais

- **Fil et aiguille adaptés au tissu.**
- **Fil normal dans la canette.**
- **Élastique rond adapté à l'épaisseur du tissu.**
- **Point zigzag (longueur 2 à 4 mm ; largeur 2 à 3 mm).**
- **Pied multifonction ou pied pour cordonnet.**

Pour les tissus assez épais, le fil élastique est fixé sur l'envers du tissu au moyen d'un point zigzag qui réalise un tunnel autour de l'élastique.

Configurez le point zigzag de façon à ce qu'il vienne entourer le cordon élastique, sans piquer dedans. Une fois toutes les rangées de cordons élastiques piquées, tirez sur les extrémités d'un cordon pour faire froncer le tissu, puis faites de même avec les autres cordons. Nouez chaque extrémité des cordons avec les fils d'aiguille et de canette. Poursuivez l'assemblage.

Pied spécial cordon

Les pieds spécifiques pour la pose des cordons, comme le pied pour cordonnet (voir page 214), peuvent aider à effectuer une piqûre bien nette autour de l'élastique rond.

Plissés

Principe du pied plisseur

Les plis couchés peuvent se réaliser avec le pied plisseur, en particulier pour les grandes longueurs de tissu à plisser. Le pli couché est le pli de base en couture, obtenu par simple pliage du tissu vers la droite ou vers la gauche. Le but des plis est d'une part de réduire une longueur de tissu et d'autre part d'apporter un élément esthétique au projet.

Plus complexe que le pied fronceur, le pied plisseur (appelé aussi accessoire fronceur ou pied à plisser) réalise des plis à intervalles réguliers dans un tissu fin comme épais ; il permet donc de plisser facilement de grandes longueurs de tissu.

201

Imposant par son volume, il peut être intimidant ! Il se compose d'un avant-bras, situé devant la barre de fixation du pied, qui pousse le tissu afin de former le pli sous le pied. L'aiguille vient alors piquer dans le pli pour le maintenir en place. Le pied plisseur s'utilise avec un point droit.

Levier de réglage du nombre de points entre deux plis

Vis de réglage de la largeur du pli

Crochet d'installation du pied plisseur

Guide tissu

Anatomie du pied plisseur.

La configuration des plis se fait comme suit :

• une vis de réglage permet de déterminer la largeur du pli ;

• un levier de réglage donne le nombre de points de couture qui seront cousus entre chaque pli réalisé : sur 1, il y aura 1 point de couture réalisé entre deux plis ; sur 12, il y aura 12 points, etc. ;

• du point précédent on déduit que la longueur du point de couture est un élément déterminant pour la mise au point des plis : le rendu sera évidemment différent entre un plissage avec 12 points de couture de 2 mm entre deux plis et un plissage avec 12 points de couture de 3,5 mm.

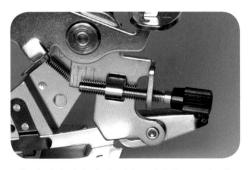

Vue latérale de la vis de réglage de la largeur du pli.

Levier de réglage du nombre de points entre les plis.

Réaliser un plissé

Installez le pied plisseur sur la machine à coudre. Clipsez le pied plisseur sur le porte-pied et placez le crochet du pied sur la vis du pince-aiguille.

Pour déterminer le plissage qui convient à votre projet, réalisez des tests dans des échantillons du tissu. Notez les différents réglages sur l'échantillon (ou dans votre carnet si vous en tenez un) pour les retrouver plus tard.

Voici trois types de plissage que vous pouvez obtenir parmi les nombreuses combinaisons :

On a réalisé un pli
tous les 12 points de couture.

On a réalisé un pli
tous les 6 points de couture.

On a réalisé un pli
à chaque point de couture.

Préparez la bande de tissu : pliez-la en deux dans le sens de la hauteur (pour une finition avec une bande repliée sur elle-même) ou bien ourlez la bordure qui sera au bas du plissé (il est plus facile de coudre l'ourlet avant d'avoir réalisé le plissage).

Conseil pratique

Avant de placer le pied plisseur, installez la canette ainsi que le fil d'aiguille souhaité. Il est plus difficile après d'y avoir accès.

Glissez le tissu à plisser sous l'avant-bras horizontal du pied : une feuille de papier peut être utile pour faciliter l'entrée du tissu. Abaissez le pied plisseur et piquez.

Déterminer la longueur de tissu

Pour établir la longueur de tissu nécessaire au plissé du projet, procédez comme vu plus haut pour les fronces : réalisez un échantillon avec le réglage choisi, sur une bande de tissu de 30 cm. Mesurez la longueur obtenue une fois plissée, et faites une règle de trois qui vous permet d'obtenir la longueur de tissu dont vous avez besoin pour votre projet.

Assembler un plissé

Si le pied plisseur ne permet pas d'assembler et de plisser en une seule étape, utilisez un pied multifonction pour piquer la bande de tissu plissée (au préalable avec le pied plisseur) sur le tissu plat. Placez ce dernier sous la bande plissée, endroit contre endroit. Pensez à piquer de façon à ce que le pied presseur avance dans le même sens que les plis !

Avec certains modèles de pied plisseur, vous pouvez plisser une bande de tissu tout en la cousant à une autre pièce de tissu. La pièce qui ne sera pas plisser se positionne au-dessus du tissu à plisser, dans une fente spécialement prévue. Piquez comme expliqué ci-dessus : cousez cependant avec plus de précaution car le tissu du dessus vous masque la réalisation du plissé. Utilisez toujours un point droit – d'ailleurs, certains pieds plisseurs ne permettent pas la réalisation d'autres points de couture.

Pour assembler et plisser une bande de tissu autour d'un coin, modifiez les réglages du pied plisseur afin qu'il réalise un pli par point au niveau de l'angle : piquez ainsi plusieurs plis. En effet, afin d'habiller correctement l'angle et de créer du volume, il faut densifier les plis.

204

Plis-nervures

Les plis-nervures sont de petits plis décoratifs, piqués à leur base, qui mesurent quelques millimètres de large. Plus ils sont étroits et nombreux, plus l'effet est joli, mais toutes les combinaisons sont possibles. Ils peuvent être plats ou en relief. Ils sont purement esthétiques, mais peuvent aussi servir à donner de la tenue et de l'aisance à un vêtement, quand ils ne recouvrent qu'une partie de la pièce de tissu.

Pour obtenir de jolis plis-nervures, piquez-les toujours dans le sens du droit-fil.

Avec le pied pour ourlet invisible

- **Fil et aiguille adaptés au tissu.**
- **Point droit de longueur 2 à 2,5 mm.**
- **Pied pour ourlet invisible ou pied patchwork.**

Point droit.

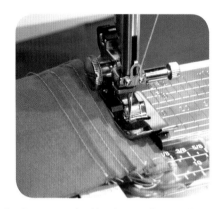

Déterminez au feutre ou à la craie les lignes de plis. Au fer à repasser, marquez le premier pli : la marque est l'arête du pli. Installez le pied pour ourlet invisible et déplacez l'aiguille latéralement de façon à obtenir la largeur souhaitée entre l'aiguille et la barre centrale du pied : cette mesure correspond à la largeur du pli qui va être obtenu.

Placez le tissu sous le pied presseur en calant le pli contre la barre latérale et piquez le premier pli. Puis marquez au fer le second pli, piquez-le, et ainsi de suite. Piquez toujours les plis dans le même sens pour ne pas étirer le tissu : de haut en bas ou bien de bas en haut.

Avec le pied pour nervures et l'aiguille double

- **Fil et aiguille double adaptés au tissu.**
- **Point droit de longueur 2 à 2,5 mm.**
- **Pied pour nervures.**

Pied pour nervures de la marque Janome (endroit et envers).

Le pied pour nervures possède une semelle creusée de rainures plus ou moins espacées, leur nombre pouvant aller de 3 à 7, voire 9. Les rainures ont deux fonctions : on place la première nervure réalisée dans une rainure (selon l'espacement voulu), ainsi elle n'est pas écrasée et en outre sert de guide pour la couture de la nervure suivante.

Il s'utilise avec une aiguille double qui pique de part et d'autre de la rainure du pied, créant ainsi la nervure.

Pour les tissus fins, utilisez une aiguille double de faible écartement (1,6 mm ou 2,5 mm). Pour les tissus plus épais, ayez recours à une aiguille double de 4 mm d'écartement.

Plis-nervures simples

Fixez le pied pour nervures sur le porte-pied, installez l'aiguille double et les deux fils d'aiguille (voir page 65). Tracez la ligne de la première nervure, parallèle au droit-fil, sur l'endroit du travail. Piquez la nervure sur l'endroit en centrant sur la ligne. Une fois la nervure terminée, placez-la dans une des rainures du pied, à l'espacement souhaité, pour piquer la nervure suivante parfaitement parallèle à la première.

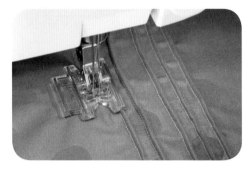

Plis-nervures en volume ou gansés

Si vous souhaitez des nervures plus structurées, augmentez la tension des fils d'aiguille. Vous pouvez aussi placer une petite languette sur la plaque d'aiguille : elle soulève le tissu avant que l'aiguille double ne pique, créant ainsi du volume.

Placer un cordon dans la nervure permet d'obtenir des plis-nervures gansés : glissez d'abord le cordon sous le pied pour nervures et laissez-le dépasser d'au moins 5 cm à l'arrière du pied. Installez la longueur de cordon entre vous et la machine à coudre. Puis glissez le tissu entre le cordon et le pied. Abaissez et piquez en guidant doucement cordon et tissu. Une fois la nervure piquée, coupez le cordon situé devant le pied presseur, avant de dégager le tissu d'en dessous du pied pour nervures.

Languette installée à hauteur du pied presseur, sur la plaque d'aiguille.

L'utilisation d'un guide-cordon pour nervures aide à la mise en place du cordon et à la couture de la nervure gansée.

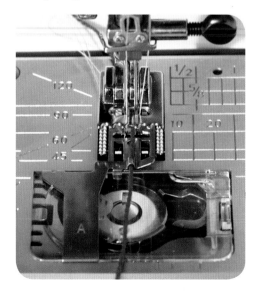

Cette plaque guide-cordon remplace le couvercle du boîtier de canette : le cordon y est inséré et guidé sous le pied pour nervures, entre les deux aiguilles de l'aiguille double.

206

Enfin, le pied pour nervures avec point fantaisie permet de réaliser les plis-nervures puis de broder entre les nervures, pour les mettre en valeur sans les aplatir.

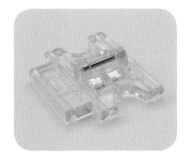

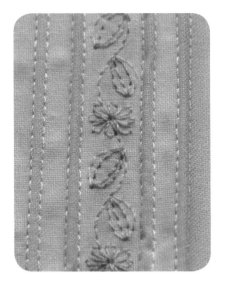

Pied pour nervures avec point fantaisie.

Créer et poser du passepoil

• **Aiguille et fils adaptés au tissu.**
• **Point droit.**
• **Pied pour passepoil.**

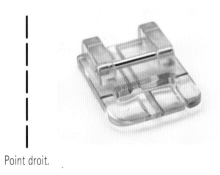

Point droit.

Le passepoil est une bande de tissu insérée entre deux pièces de tissu, au niveau d'une couture. Son utilisation permet de souligner les bords ou les coutures d'un projet et, pour cette raison, il est souvent choisi dans un coloris ou une texture contrastants. Le plus souvent, un bourrelet de coton vient lui donner du volume afin de le rendre plus visible.

Le pied pour passepoil, qui peut être en plastique transparent ou en métal, possède sur sa semelle une profonde rainure destinée à faire passer le passepoil. Il existe différentes tailles de pied pour passepoil, à utiliser en fonction de la taille du passepoil à coudre, et même un pied pour passepoil double.

Confectionner un passepoil

Au moyen du pied pour passepoil, vous pouvez réaliser un passepoil sur mesure à partir d'une bande de tissu coupée dans le biais (ou de biais du commerce) et d'une cordelière – ou bourrelet.

La bande de biais doit mesurer au moins 4 fois la largeur du bourrelet à recouvrir.

Pliez la bande de tissu en deux, dans sa largeur, envers contre envers. Glissez à l'intérieur le bourrelet de coton.

Installez le pied pour passepoil et sélectionnez un point droit. Placez la bande et le bourrelet sous le pied pour passepoil : le côté le plus volumineux vient se loger dans la rainure du pied.

Abaissez le pied et piquez en accompagnant le tout afin que le bourrelet reste bien dans le pli de la bande de tissu.

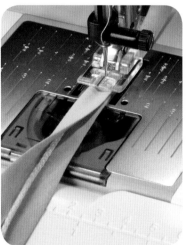

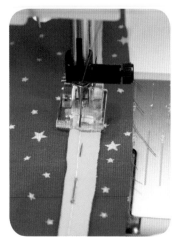

Fig. 1

Poser un passepoil

Sur l'endroit du tissu sur lequel doit être posé le passepoil, alignez la piqûre de fabrication du passepoil avec la ligne de couture.

Installez le pied pour passepoil et déplacez l'aiguille, si besoin, de façon à ce qu'elle pique entre le bourrelet et la piqûre de fabrication du passepoil (fig. 1). Utilisez un point droit d'une longueur adaptée à l'épaisseur du tissu utilisé. Le bourrelet du passepoil se glisse là encore dans la rainure du pied, ce qui guide la couture.

Une fois le passepoil posé sur la première pièce, placez sur cet assemblage la seconde pièce de tissu, endroit contre endroit, en faisant correspondre la ligne de couture avec la première piqûre d'assemblage. Piquez au point droit, le passepoil toujours dans la rainure du pied. Réduisez les surplus de couture une fois la couture terminée et surfilez les bords et le passepoil en une seule étape.

Pour gagner du temps, vous pouvez poser le passepoil en une fois : réduisez les marges de couture de façon à ce qu'elles soient de la même largeur que celles du passepoil. Dans l'exemple donné ici, il y a 7 mm entre la piqûre du passepoil et son bord libre, les marges de couture des pièces de tissu sont donc réduites à 7 mm.

Positionnez les pièces de tissu endroit contre endroit avec le passepoil entre elles, en alignant les bords, épinglez puis piquez en une seule étape (fig. 2 et 3).

Le pied pour passepoil peut être remplacé par un pied pour fermeture Éclair (sur la photo ci-contre) ou un pied pour perles.

Fig. 2

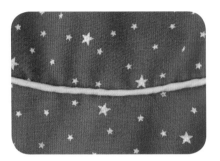

Fig. 3
Le passepoil posé entre deux pièces de tissu.

209

Passepoil et coutures d'assemblage

Pour faciliter les coutures d'assemblage, pensez à raccourcir le bourrelet qui se trouve dans le passepoil : cela permet de minimiser les épaisseurs tout en conservant le raccord visuel. Pour cela, retroussez le passepoil pour faire apparaître le bourrelet et coupez-en l'excédent.

Pour gérer les courbes ou les angles, pensez à cranter le passepoil dans son surplus de couture.

Raccorder deux bandes de passepoil

Le raccord de passepoils se fait après la première couture d'assemblage. Stoppez l'assemblage des passepoils sur le tissu en laissant 10 cm non cousus, soit 5 cm de chaque passepoil. Vous pouvez alors utiliser deux méthodes, décrites ci-dessous.

Superposition

Après assemblage des passepoils sur la première pièce de tissu, marquez le point où les passepoils se rejoignent. Décousez au découd-vite la piqûre d'un des passepoils pour faire apparaître le bourrelet et coupez l'excédent de bourrelet à hauteur de la marque (fig. 1 ; on obtient ainsi la continuité entre les bourrelets des deux passepoils).

Sur l'extrémité ainsi dépourvue de bourrelet, effectuez un repli de quelques millimètres en guise de mini ourlet, puis placez dedans l'extrémité munie d'un bourrelet. Maintenez en place avec des épingles (fig. 2) et piquez le raccord (fig. 3).

Fig. 1

Fig. 2

Fig. 3

Chevauchement

La seconde solution consiste à faire se chevaucher les passepoils en les croisant. Elle est souvent utilisée en ameublement.

Placez une extrémité sur l'autre, en faisant en sorte que l'angle formé soit le plus ouvert possible, le but étant d'obtenir la transition la plus linéaire possible. Épinglez et piquez au point droit.

Coudre un ruban

Avec l'aiguille double

> **MÉMO**
> - **Fil adapté au tissu.**
> - **Aiguille double.**
> - **Point droit.**
> - **Pied pour ruban ou pour bordure fantaisie.**
>
> ▬▬ ▬▬ ▬▬ ▬▬ ▬▬
> Point droit.

Pied pour bordure fantaisie de la marque Pfaff.

Choisissez une aiguille double d'un écartement légèrement inférieur à la largeur du ruban et installez le pied pour ruban (ou pied pour bordure fantaisie), qui diffère selon les marques. Il permet la pose de rubans : une ouverture sur le devant du pied accueille le ruban, que l'on glisse ensuite jusque sous la semelle du pied presseur.

Le pied pour ruban et paillettes de la marque Janome permet de coudre des rubans de 7 mm maximum.

Le pied pour bordure fantaisie de la marque Pfaff peut accueillir des rubans de 3 à 12 mm de large, et plusieurs à la fois. Le ruban est passé dans l'encoche la plus grande, l'aiguille double pique, maintenant le ruban sur toute sa largeur.

Avec un point large

- **Fil et aiguille adaptés au tissu.**
- **Point zigzag multiple ou point fantaisie large.**
- **Pied pour ruban ou pied pour bordure fantaisie.**

Point zigzag multiple.

Choisissez un point de couture large qui couvre bien le ou les rubans de façon à les fixer régulièrement. Du simple zigzag au point de broderie, en passant par le point de chausson, de nombreux points de couture peuvent être employés.

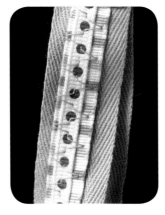

Pose simultanée de deux rubans sur une troisième bande de tissu, avec le pied pour bordure fantaisie (Pfaff) et un point zigzag fantaisie.

Coudre des perles et des paillettes

- **Fil et aiguille adaptés au tissu.**
- **Point zigzag.**
- **Pied pour perles ou pied pour paillettes.**

Point zigzag.   Pied pour perles.

Poser des perles sur un tissu peut s'avérer très facile : à l'aide d'un pied pour perles ou d'un pied passepoil (selon la taille des perles à coudre), la couture des cordons de perles est simple et efficace. Si les perles ne se présentent pas en cordon, il faut au préalable les enfiler sur un fil solide ; vous pouvez réaliser un nœud entre chaque perle pour donner plus de solidité au cordon.

La taille des perles est bien sûr à adapter au tissu : sur un tissu fin, posez de petites perles ; sur un tissu d'ameublement, choisissez des perles plus grosses.

Le pied pour perles est le plus souvent transparent, court et haut ; il existe parfois en plusieurs tailles selon les marques. Il a la forme d'un tunnel dans lequel le cordon de perles peut passer. Le cordon doit glisser sans entrave dans le tunnel du pied ; s'il rencontre une gêne, il faut utiliser un pied plus grand. À défaut, il peut être remplacé par un pied pour passepoil.

Attachez le pied pour perles sur le porte-pied de la machine, sélectionnez un point zigzag suffisamment large et long pour que le fil se glisse, à chaque point, entre chaque perle, et ainsi les maintienne bien en place. Choisissez une aiguille correspondant au tissu et un fil discret. Cousez lentement, surtout s'il y a des courbes à effectuer avec le cordon de perles.

213

Si le tissu plisse sous la couture, pensez à entoiler l'envers du tissu avec un entoilage pour broderie (temporaire ou non, comme le NT standard de la marque Ecofil).

Pied pour rubans et paillettes de la marque Janome.

Pour appliquer des paillettes montées en chapelet, insérez-les dans l'ouverture du pied et faites dépasser le chapelet de quelques perles derrière le pied presseur pour faciliter le début de couture. Sélectionnez un point zigzag de la largeur des paillettes : la longueur du point doit être suffisante pour maintenir les paillettes sur le tissu sans trop les couvrir.

Coudre un fil épais

Pour décorer une matière ou un projet, il est possible d'utiliser la machine à coudre pour coudre des fils volumineux, impossibles à faire passer dans le chas de l'aiguille, quelle que soit la taille de celle-ci. Cotons perlés, fils retors, fils moulinés ou laines peuvent être appliqués sur le tissu. Voici différentes façons de procéder.

Pied pour cordonnet

MÉMO

- **Fil et aiguille adaptés au tissu.**
- **Point zigzag triple ou point fantaisie large.**
- **Pied pour cordonnet.**

Le pied pour cordonnet permet de coucher sur un tissu plusieurs cordons à la fois, espacés régulièrement. Il présente entre trois et neuf ouvertures dans lesquelles sont glissés les cordons. La taille de ces ouvertures donne la seule limite de la taille des cordons. La semelle du pied est rainurée pour ne pas écraser les cordons cousus.

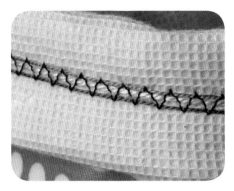

Cordons couchés avec un point zigzag triple.

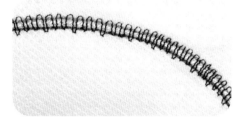

Cordons couchés avec un point de couture fantaisie.

Introduisez les différents cordons dans le pied pour cordonnet, en les plaçant de haut en bas et de l'avant vers l'arrière. Tirez les cordons sous la semelle du pied et installez les bobines ou écheveaux de cordons entre vous et la machine, de façon à ce que les fils se déroulent sans heurt.

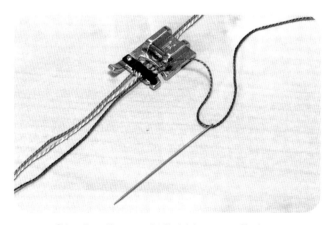

Si besoin, utilisez une aiguille à laine pour enfiler les cordons dans les ouvertures du pied pour cordonnet.

Fixez le pied pour cordonnet sur le porte-pied de la machine à coudre. Avant de coudre, pensez à tracer la ligne que vous allez suivre pour appliquer les cordons. Abaissez le pied presseur et sélectionnez un point zigzag multiple suffisamment large pour couvrir les cordons : tous doivent être pris dans la couture. L'ouverture du pied au niveau de l'aiguille est suffisamment large pour la réalisation des points de couture fantaisie.

Piquez en accompagnant les cordons : chacun se place correctement grâce au pied.

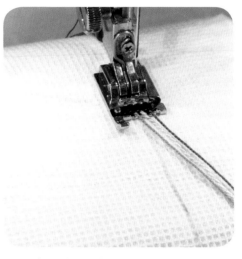

Sur le tissu, la ligne tracée en rose guide la pose des cordons.

Bracelets brésiliens

Avec le pied pour cordonnet à neuf trous de la marque Pfaff, vous pouvez réaliser des bracelets brésiliens en un clin d'œil ! Retrouvez le tutoriel complet à l'adresse suivante :

http://christelleben.blogspot.fr/2014/02/bracelet-bresilien-la-machine.html.

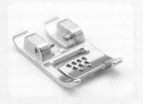

Boîtier de canette pour fils épais

- **Fil d'aiguille et aiguille adaptés au tissu.**
- **Fil de canette : fil fantaisie épais.**
- **Points de couture fantaisie.**
- **Pied multifonction ou pied pour broderie.**
- **Entoilage et travail sur l'envers.**

Le boîtier de canette pour fils épais est un accessoire qui permet de coudre des fils qui ne peuvent être enfilés dans une aiguille de machine à coudre. Cela permet de créer des effets décoratifs, voire d'obtenir une couture ayant l'aspect du brodé main, avec des fils à broder comme les moulinés, les fils retors ou encore les cotons perlés.

Le fil décoratif est alors utilisé comme fil de canette, cela s'appelle **le travail à la canette**.

Installez le boîtier de canette spécial en dégageant la plaque d'aiguille et en retirant le boîtier en place (voir page 255). Préparez la canette : enroulez manuellement le fil à broder sur la canette en vous efforçant d'être régulier dans la tension que vous exercez. Installez la canette dans le boîtier spécial et faites passer le fil de canette comme d'habitude.

Installez un fil d'aiguille neutre : choisissez-le de la couleur du tissu ou de la couleur du fil épais qu'il va accompagner, ou encore utilisez un fil invisible. La tension du fil d'aiguille peut être augmentée si besoin : il faut jouer avec pour obtenir l'effet recherché.

Placez un entoilage temporaire sur l'envers du tissu, en l'épinglant ou en le bâtissant. Vous pouvez y dessiner les tracés que vous souhaitez coudre.

Installez le travail sous le pied presseur, entoilage au-dessus : c'est le fil de canette qui doit se voir sur l'endroit du tissu. Choisissez un point de couture et faites des tests : certains points de couture trop denses se prêtent mal à cette technique, un test permet de s'assurer à la fois du choix du point et des réglages de tension.

Vous pouvez régler la tension exercée sur le fil de canette : une petite vis présente sur le côté du boîtier de canette permet de gérer la tension. Vissez-la pour augmenter la tension et desserrez-la pour la diminuer. Ne tournez la vis que d'un quart de tour à chaque fois que vous avez besoin de modifier la tension du fil de canette. Si cette dernière est encore trop importante avec la vis desserrée au maximum, éludez la vis de tension du boîtier. N'y faites pas passer le fil de canette : faites-le apparaître directement entre les griffes d'entraînement.

Sur l'entoilage (NT coton de la marque Ecofil), sont dessinés les traits roses qui servent de repère pendant la couture.

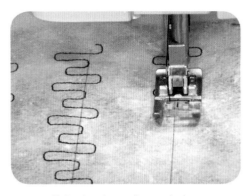

Piqûre du point sur l'envers du tissu.

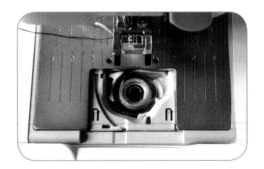

Ici le fil de canette ne passe pas dans la vis du boîtier, mais part directement sous le pied-de-biche.

Piqué libre

Le travail à la canette peut se faire également au piqué libre : utilisez alors un pied pour piqué libre, abaissez les griffes d'entraînement et choisissez un point droit. Vous pouvez vous servir d'un cadre de broderie si vous le souhaitez et procéder comme pour le piqué libre (voir page 246).

Pied pour liseré

MÉMO

- **Fil et aiguille adaptés au tissu.**
- **Point zigzag.**
- **Pied pour liseré.**

Le pied pour liseré permet de coucher sur le tissu un cordon épais ou un fil de laine irrégulier que vous ne pouvez pas utiliser dans le boîtier pour fils épais. Ce pied permet de fixer beaucoup de liserés de matières et de textures différentes, et aussi de petits rubans.

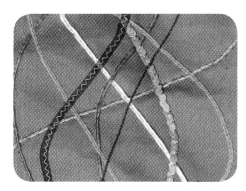

Très simple d'utilisation, ce pied spécial possède un œillet à l'avant du pied dans lequel passe le liseré. Amenez ce dernier sous le pied presseur. Sélectionnez un point de couture large pour bien fixer le liseré : cela peut être un simple point zigzag comme un point de broderie plus élaboré.

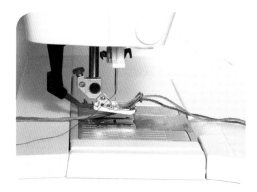

Vue de profil du pied pour liseré : le cordon est guidé sous l'aiguille qui le pique.

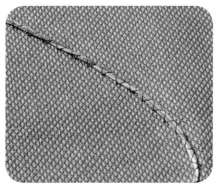

Fil de laine couché au point zigzag avec le pied pour liseré.

219

Choisissez une aiguille convenant au tissu du projet ainsi qu'au fil utilisé. Côté fil, vous pouvez jouer la discrétion en utilisant un fil dans les mêmes nuances que le cordon ou bien au contraire les faire contraster en utilisant un fil de couleur très différente.

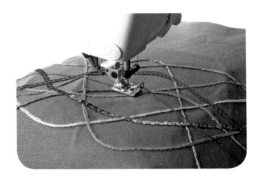

Détournez le pied pour roulotté

Utilisez le pied pour roulotté pour poser de fins cordons sur un tissu : glissez le cordon dans le cornet du pied et piquez le cordon au point zig-zag si le pied presseur le permet, sinon au point droit.

Yarn couching

Avec cette technique, le fil est cousu au point droit et l'abaissement des griffes d'entraînement suscite la réalisation de formes variées. Elle permet de coucher sur le tissu des fils volumineux, tels que des fils de laine.

MÉMO
- **Fil et aiguille adaptés au tissu.**
- **Point droit.**
- **Pied pour yarn couching.**
- **Griffes d'entraînement abaissées.**

Le pied pour yarn couching est court et transparent. Il s'utilise en piqué libre (voir page 245). L'ouverture qui laisse passer l'aiguille accueille aussi le fil de laine, ainsi on pique dans le fil.

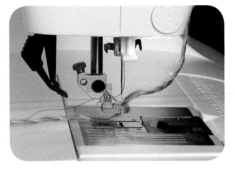

Installez le pied, abaissez les griffes d'entraînement de la machine et configurez un point droit. Installez le fil de laine pour qu'il se dévide souplement, sans accroc. Insérez-le dans l'ouverture du pied presseur, en laissant 5 à 6 cm de fil derrière

Creative bobbin case de la marque Pfaff.

le pied presseur pour commencer la piqûre. Piquez comme pour n'importe quel piqué libre : le fil de laine suit la couture et se laisse coucher sur le tissu. Réalisez ainsi toutes les formes que vous souhaitez.

Réaliser un appliqué

- **Fil et aiguille adaptés au tissu.**
- **Point zigzag ou point de bourdon.**
- **Pied pour appliqué.**
- **Entoilage thermocollant double-face.**

Point zigzag.

Point de bourdon.

Pied pour appliqué
de la marque Janome.

L'appliqué est une technique consistant à apposer une forme en tissu (le plus souvent décorative) sur une autre pièce de tissu.

Utilisez un pied le plus ouvert possible, qui vous offrira la meilleure visibilité sur le point de bourdon. Le pied pour appliqué (aussi appelé pied pour application ou pied bourdon) est en général transparent et court pour faciliter une piqûre précise autour de l'appliqué. La large ouverture du pied permet de réaliser un point de couture aussi large que vous le souhaitez. Sa semelle légèrement rainurée n'aplatit pas le point de couture juste cousu.

Le point de bourdon est simplement un point zigzag très serré ; si la machine ne le propose pas, sélectionnez le point zigzag et réglez-le sur une largeur de 2 à 5 mm et sur une longueur de 0,5 mm ou moins. Abaissez la tension du fil d'aiguille : le point doit être bien plat, sans que le fil de canette ne soit visible sur l'endroit.

Préparation de l'appliqué

Reproduisez la forme de l'appliqué sur le voile thermocollant double-face (fig. 1). Ce dernier permet de fixer l'appliqué sur le tissu qui le reçoit, ainsi l'appliqué ne bouge pas pendant la couture et il n'est pas nécessaire d'épingler ou de bâtir. (Si vous disposez d'un papier thermo-collant sur une seule face, passez de la colle temporaire en bombe sur le côté non collant pour le faire adhérer au tissu.)

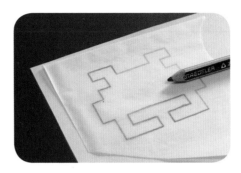

Fig. 1
Forme dessinée sur le voile thermocollant double-face.

Au moyen du fer à repasser, collez la première face du voile thermocollant sur l'envers du tissu de l'appliqué. Puis découpez aux ciseaux le pour-tour de l'appliqué (fig. 2).

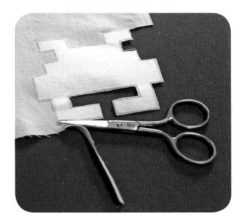

Fig. 2
Entoilage collé sur le tissu, appliqué en cours de découpe.

Retirez le papier fin qui protège l'autre face du voile thermocollant et placez l'appliqué sur le tissu à l'emplacement choisi. Pressez le fer à repasser dessus pour le coller (fig. 3).

Une autre façon de fixer l'appliqué avant couture est de le bâtir au fil ou de l'épingler : pensez en particulier au bâti au fil hydrosoluble si le projet final supporte l'eau.

Fig. 3
L'appliqué est prêt à être cousu.

222

Assemblage de l'appliqué

Configurez un point de bourdon, installez un pied pour broderie ou appliqué et commencez à piquer. Les trois quarts du point doivent se trouver du côté appliqué, le quart restant sur le tissu support.

Si les tissus sont fins, le point de bourdon risque de les faire plisser et le rendu ne sera pas heureux. Placez alors sous le tissu support un entoilage à déchirer (le NT coton d'Ecofil par exemple).

L'appliqué, pas seulement décoratif

Hormis ses possibilités décoratives, cette technique présente d'autres atouts : si vous avez besoin de réparer un trou ou de cacher une tache, pensez à l'appliqué !

Gérer les courbes et les angles

Pour passer un angle, il faut laisser l'aiguille plantée dans le tissu pour vous en servir de pivot et faire tourner le pied presseur. Procédez de même pour une courbe serrée : au bout de quelques points, faites tourner le tissu.

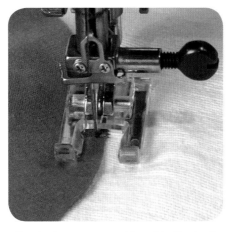

Pour les formes convexes, laissez l'aiguille plantée côté appliqué, avant de soulever le pied presseur et de faire pivoter les tissus.

Pour les formes concaves, l'aiguille sert de pivot en étant plantée dans le tissu, hors de l'appliqué.

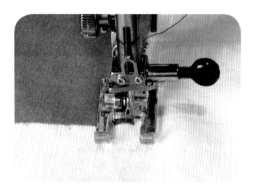

Pour les angles externes, positionnez l'aiguille à la pointe de l'angle et faites tourner les tissus autour de l'axe de l'aiguille.

Pour les angles internes, gérez le changement de direction en laissant l'aiguille plantée du côté de l'appliqué.

Appliqué avec point décoratif

Procédez comme pour l'appliqué réalisé au point de bourdon, mais en ajoutant une marge de couture, repliée sous l'appliqué, afin que ce dernier ne s'effiloche pas. Pour replier facilement les surplus de couture, pensez à cranter les angles et les arrondis.

Pour gérer le raccordement du motif du point de couture (fin d'un dessin fermé sur lui-même), diminuez la longueur du point (voir page 232).

Appliqué inversé

MÉMO

- **Fil et aiguille adaptés au tissu.**
- **Point droit ou point fantaisie.**
- **Pied multifonction ou pied pour appliqué.**

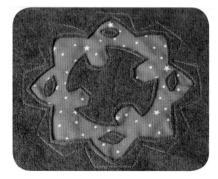

Il se réalise généralement sur un tissu qui s'effiloche peu ou pas, ou alors, à l'inverse, sur une matière pour laquelle l'effilochage est souhaité. Le principe est le suivant : le tissu supérieur est évidé pour faire apparaître en négatif le tissu inférieur.

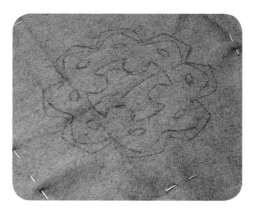

Fig. 1

Fig. 2

Reproduisez le dessin sur le tissu supérieur, puis bâtissez le tissu inférieur sous le tissu supérieur pour que les deux épaisseurs ne fassent plus qu'une pendant la couture (fig. 1).

Piquez au point droit (ou avec un point fantaisie) selon le tracé dessiné sur le tissu supérieur (fig. 2).

Puis, au moyen de ciseaux de broderie, évidez l'intérieur de chaque partie piquée (fig. 3).

On peut conserver l'appliqué tel quel ou bien ses contours peuvent être brodés avec le motif de votre choix.

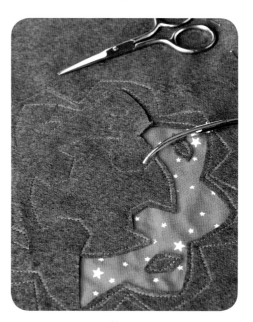

Fig. 3

225

Appliqué sur du jersey

Si vous souhaitez poser un appliqué sur une matière en maille, utilisez un point droit pour fixer les deux pièces l'une à l'autre. Si la matière dans laquelle est découpé l'appliqué s'effiloche beaucoup, finissez-en les bords avant de la piquer. Si malgré tout les matières gondolent, n'hésitez pas à placer un entoilage temporaire hydrosoluble pour stabiliser le tissu pendant la couture.

Broderies

Matériel

Fils

Le fil à broder est la première fourniture à laquelle on pense pour broder ! Il existe dans différentes matières et finitions : fils de coton mercerisés, fils polyester à la brillance éclatante, fils de rayonne ou encore fils de soie, sans oublier les fils métallisés. Que vous recherchiez un fini brillant ou mat, un aspect naturel ou scintillant, vous trouverez votre bonheur parmi l'offre abondante proposée.

• Les fils à broder brillants (par exemple le Poly Sheen ou le Silk Finish de la marque Mettler) donnent beaucoup d'éclat et de reflets aux broderies.

• Les fils à broder comme le Amanda (100 % soie) ou le Broder-Repriser (100 % coton) – tous deux encore chez Mettler – apportent un éclat plus mat et plus doux.

• Les fils métalliques donnent un éclat clinquant et luxueux aux réalisations et sont disponibles dans différentes grosseurs, et désormais dans un large éventail de coloris.

• Les fils de laine sont plus fragiles et plus volumineux, donnant davantage de relief aux broderies. Ils sont en outre très agréables au toucher.

Vous trouverez des fils unis et des fils dégradés et ombrés ; ces derniers se prêtent particulièrement bien aux points de bourdon (voir page 240).

Le choix du fil est surtout esthétique : adaptez toutefois son épaisseur au tissu à travailler.

Différents types de fils de la marque Mettler à utiliser pour la broderie à la machine à coudre.

226

Broderies réalisées avec du fil de soie Amanda (Mettler).

Choisissez des fils de qualité pour prévenir la casse en cours de broderie. Faites des essais de couture afin de régler la tension du fil d'aiguille, qu'il faut généralement abaisser par rapport à une couture classique. Le fil de canette ne doit pas se voir sur l'endroit du travail ; à l'inverse, le fil d'aiguille peut apparaître sur l'envers.

Les fils spécifiques pour la broderie machine sont préférables car étant plus fins, les broderies qu'ils réalisent sont plus lisses et régulières ; d'autre part

ces fils cassent plus facilement s'il y a un problème de tension, ce qui évite de casser l'aiguille. Cependant, un joli fil polyester à coudre de très bonne qualité peut tout à fait convenir à la broderie à la machine à coudre.

Pour la canette, préférez un fil fin et souple comme le **fil de canette** conçu pour la broderie à la machine. En polyester très fin mais très solide, il se fait discret sur l'envers du travail. Il est disponible en blanc et en noir. N'hésitez pas à l'employer pour réussir vos boutonnières comme tout autre travail sur tissus fins, voire très fins.

Éviter que le fil se dévide trop vite

N'hésitez pas à couvrir la bobine de fil à broder d'un filet (ou d'un morceau de collant-mousse) pour éviter qu'il se dévide trop vite au pied de la bobine. En effet, les fils à broder sont souvent très souples et tendent à s'échapper de la bobine quand ils sont positionnés verticalement.

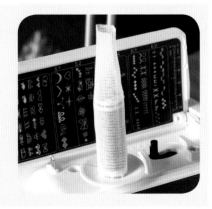

Aiguilles

Adapter l'aiguille au projet de broderie

Choisissez l'aiguille en fonction du tissu à broder et du fil sélectionné. Pour les fils à broder en polyester et en rayonne, ainsi qu'en soie et en coton mercerisé, utilisez une aiguille à broder : son chas est spécialement conçu pour minimiser les frottements et évite que le fil ne casse.

Pour les fils métalliques, choisissez une aiguille spécialement conçue pour ce type de fil. Cette dernière prendra encore plus soin du fil qu'une aiguille à broder.

Broderie avec le fil Metallic de Mettler et une aiguille métallique Schmetz (entoilage à déchirer NT standard d'Ecofil).

Broderie réalisée avec un fil Poly Sheen Multi Mettler et une aiguille à broder Schmetz.

Broder avec deux fils d'aiguille

Vous trouverez des aiguilles à double chas, très utiles pour broder avec deux fils à broder sans les abîmer. Elles permettent d'obtenir des effets de couleurs et de matières intéressants. Enfilez les deux fils d'aiguille comme pour utiliser une aiguille double ; arrivé à hauteur des chas de l'aiguille, introduisez chaque fil dans un chas.

Aiguille double chas de la marque Schmetz.

Broder avec une aiguille double

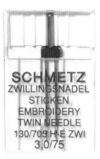

MÉMO

- **Fil à broder et aiguille double à broder adaptés au tissu.**
- **Pied à broder ou pied multifonction.**
- **Plaque d'aiguille pour point zigzag.**

Broder avec une aiguille double ouvre des possibilités très intéressantes. Choisissez un point de broderie : en utilisant une aiguille double, le point se coud de façon rigoureusement parallèle en une seule étape.

Utiliser une aiguille double à broder permet en outre de ménager les fils à broder.

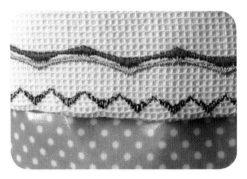

En haut, broderie à l'aiguille à broder double ;
en bas, broderie à l'aiguille double chas.

Entoilages

Pour réussir des broderies parfaites à la machine à coudre, mieux vaut se faciliter le travail en utilisant les entoilages : placés sur l'envers du tissu, ils stabilisent le support de la broderie et permettent un travail régulier, sans pli ni étirement.

Certains se collent au fer à repasser, d'autres se bâtissent ou s'épinglent. Certains sont permanents, d'autres temporaires, et parmi ces derniers, certains se déchirent et d'autres sont hydrosolubles ou thermosolubles.

Pour choisir le bon entoilage, considérez d'abord votre tissu : peut-il supporter ou non d'être mouillé ? Si la réponse est non, préférez un entoilage à déchirer ou bien un stabilisateur permanent.

Fixation à la colle

Si l'entoilage dont vous disposez n'est pas thermocollant et que le bâti avec des aiguilles n'est pas satisfaisant, vaporisez dessus de la colle temporaire pour le faire adhérer au tissu. Respectez bien les consignes d'utilisation du spray pour un résultat optimal.

Bandes d'entoilage vaporisées de colle en spray pour être posées sur l'envers du tissu avant la broderie.

229

Pour broder certaines matières texturées, non lisses, à poils ou à boucles (comme les éponges, les fausses fourrures ou encore les matières «nounours»), utilisez des films sur l'endroit du tissu. En effet, la composition ou la trame du tissu «absorbe» la broderie qui est par conséquent moins visible. Un stabilisateur de surface, c'est-à-dire un film d'entoilage placé entre le tissu et le pied presseur, pallie ce désagrément : la broderie se réalise sur l'entoilage et ce dernier, parce qu'il uniformise la surface du tissu, permet de réaliser une broderie bien régulière (voir monogrammes page 241).

Broderie sur éponge : un film hydrosoluble (Aqua film de la marque Ecofil) est glissé sur le tissu avant le piquage afin d'éviter que la broderie ne se perde dans la matière du tissu.

Les atouts du film hydrosoluble

Je travaille beaucoup avec les entoilages hydrosolubles qui se prêtent à de multiples possibilités, puisqu'ils sont provisoires : leur seule restriction est de ne pas pouvoir être utilisé avec les tissus non lavables. Préférez les produits hydrosolubles à chaque fois que cela est possible : ils disparaissent en un clin d'œil au contact de l'eau, sans abîmer le travail. Ils existent en différentes épaisseurs, certains sont même thermocollants (voir page 181).

Un film hydrosoluble est utilisé pour broder sur un coton nid-d'abeilles.

Les points décoratifs

Même un simple point zigzag permet d'embellir un projet ; c'est le choix du point, du fil et de son support qui crée la broderie. Votre machine propose aussi sûrement des points de broderie préprogrammés ; selon les machines, vous pouvez en faire varier la longueur et la largeur.

Pour piquer les points de broderie, vous avez à votre disposition des pieds presseurs spécifiques. Le pied à broderie (ou pied à broder ou encore pied point fantaisie) est un pied presseur spécialement conçu pour la réalisation des points fantaisie. Il possède une large ouverture à l'avant du pied pour permettre la réalisation de points de couture larges et denses. Sa semelle est rainurée de façon à ce que le pied n'écrase pas la broderie juste piquée.

Le pied guide bordure est un pied presseur très intéressant quand il s'agit de broder des points parallèles les uns aux autres : les lignes rouges parallèles au pied assurent un espacement régulier entre les points piqués. La longue ligne rouge transversale indique où se fait la piqûre : ce repère est précieux pour débuter une couture à un endroit précis.

Le pied pour point fantaisie de la marque Pfaff.

La semelle du pied pour point fantaisie, légèrement creusée pour protéger le motif piqué.

Le pied bourdon de la marque Janome permet de réaliser tous les points fantaisie.

231

Pour broder comme pour quilter, le pied guide bordure est d'une grande aide afin d'obtenir des coutures parallèles.

Pied guide bordure de la marque Janome.

D'autres pieds presseurs peuvent convenir à la réalisation de broderies : le pied pour appliqué, le pied pour point perlé, voire le pied multifonction. Pensez surtout à vérifier que la plaque d'aiguille installée sur la machine à coudre est bien la plaque pour le point zigzag.

Points fantaisie

- **Fil et aiguille à broder adaptés au tissu.**
- **Point fantaisie.**
- **Pied pour broderie.**

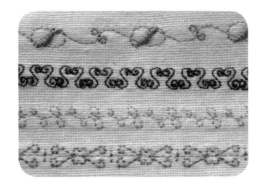

Les points fantaisie varient d'une machine à coudre à l'autre. Les machines les plus perfectionnées peuvent proposer plusieurs centaines de points, et même vous permettre de composer un enchaînement de points ou encore de créer votre propre point fantaisie.

Pour réussir le raccord entre la fin et le début de la piqûre de la broderie, repérez la longueur d'une unité du point fantaisie choisi et, quelques centimètres avant de rejoindre le début, arrêtez la couture, aiguille plantée dans le tissu. Diminuez alors la longueur du point de façon à loger des unités entières du point dans l'espace restant.

Broderies à l'ancienne

- **Fil à broder (en coton de préférence).**
- **Aiguille Wing (Schmetz).**
- **Point broderie à jour.**
- **Pied pour broderie.**

Broderie à jour

Réaliser des broderies à jour à l'ancienne à l'aide de la machine à coudre n'est pas difficile. Une aiguille Wing et un joli fil de coton suffisent pour obtenir de délicats points de broderie ajourés. Cette technique est idéale pour orner linge de table, chemisiers ou blouses et donner un petit côté rétro à vos projets.

Plus le tissu est fin, plus l'effet ajouré est réussi. Choisissez une matière naturelle, dont la trame en coton ou en lin s'écartera sans difficulté au passage de l'aiguille. Il est préférable d'utiliser une aiguille à renflement, appelée aiguille Wing, aiguille lancéolée, aiguille à oreilles ou encore aiguille sabre : les deux grosseurs situées de chaque côté du chas repoussent les fils qui composent le tissu, créant ainsi un jour à chaque piqûre du tissu. À défaut, utilisez une aiguille taille 100 ou plus pour tenter d'obtenir un résultat similaire.

Certains points de couture sont particulièrement adaptés à cette technique. Mais si la machine ne les propose pas, un simple point zigzag ou, mieux, un point zigzag multiple feront très bien l'affaire. Toutefois, plus le point de couture permet à l'aiguille de piquer au même endroit, plus la broderie est réussie.

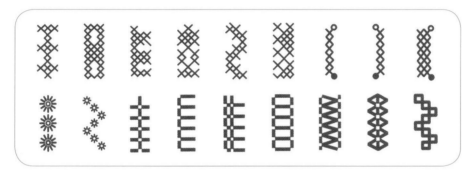

Différents types de points à jour.

Choisissez de préférence un fil à broder en coton pour piquer les points de broderie à jour. Traditionnellement, ce sont des fils ton sur ton qui sont utilisés. Pour une version plus moderne, essayez comme ici un fil contrastant avec le tissu brodé.

Broderie à jour cousue avec un fil Broder-Repriser (Mettler).

Point de couture ajouré ourlant
une batiste avec un fil contrasté.

L'ourlet est réalisé avec un point de couture ajouré
ton sur ton, qui fixe l'ourlet tout en le décorant.
Un point de feston a été rajouté pour décorer
la manche (voir page 124).

Sur les tissus très fins, utilisez un entoilage temporaire sous le tissu pour éviter qu'il ne plisse pendant la couture. Vous pouvez aussi vaporiser le tissu avec de l'amidon en spray pour le rigidifier.

Broderie à jour et dentelle

Utilisez les points de broderie à jour pour lier un galon de dentelle à un tissu. Les jours de la broderie viendront rappeler la transparence de la dentelle.

Couture ajourée

C'est une couture qui réunit deux pièces de tissu, en laissant entre elles un vide. La couture agrémente ce jour et en fait un élément de décoration.

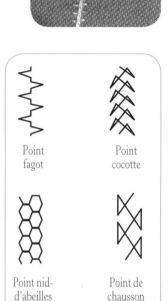

Choisissez un point large qui fasse le va-et-vient entre les bords des deux tissus à assembler. De nombreux points peuvent être utilisés, du simple zigzag au point fantaisie très complexe. Traditionnellement, le point de chausson ou le point fagot sont les plus utilisés.

Préparez les pièces en les surfilant et en réalisant un rentré de couture au fer à repasser.

Pour exécuter une couture ajourée bien régulière, bâtissez les pièces de tissu sur une bande d'entoilage hydrosoluble ; le bâti peut se faire au fil hydrosoluble, ainsi le tout disparaîtra au contact de l'eau une fois la couture terminée.

Quand les pièces sont bâties et stabilisées, brodez le point de couture choisi pour les réunir, en centrant la couture.

Point fagot

Point cocotte

Point nid-d'abeilles

Point de chausson

Quatre points larges adaptés à la couture ajourée.

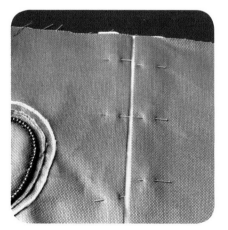

Un morceau d'entoilage hydrosoluble (ici du NT Aqua Plus de la marque Ecofil) est positionné sous les deux pièces à réunir. Il sera bâti au point de bâti au fil hydrosoluble.

Une fois assemblés, les tissus sont immergés dans l'eau pour faire disparaître l'entoilage et le fil de bâti.

Sans entoilage ?

Choisissez une fine baguette, de largeur égale à l'espacement voulu entre les tissus : elle servira de guide afin que l'écartement reste constant durant la couture. Scotchez-la sur l'espace de travail de la machine à coudre à l'avant du pied presseur et placez de chaque côté les pièces de tissu.

Pendant la couture, accompagnez les tissus en les faisant glisser le long de la baguette.

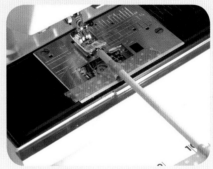

Broderie des smocks

Il est difficile d'obtenir à la machine à coudre le résultat si particulier des smocks brodés à la main. Toutefois, une machine à coudre propose des points de broderie qui feront leur petit effet.

Après avoir bâti les fronces (voir page 197), brodez un point fantaisie de votre choix entre les lignes de fronces. La largeur du point doit être inférieure à l'espacement des lignes de fronces : en effet, vous ne devez pas piquer sur les lignes de bâti des fronces pendant la broderie, sinon vous aurez beaucoup de difficulté à enlever ces dernières en fin de travail et les fils se verront.

Divers points pouvant être utilisés pour des smocks.

N'hésitez pas à alterner le sens de piqûre, de haut en bas puis de bas en haut, ainsi les fronces brodées seront plus harmonieuses.

Sécurisez les débuts et fins des broderies car ce sont elles qui à terme maintiendront les fronces. Une fois toutes les lignes de broderie réalisées, enlevez les fils de bâti des fronces.

Les fils de bâti ont été retirés à l'exception du fil le plus proche de l'encolure. Il sera enlevé seulement une fois l'encolure montée.

Point perlé

Aussi appelé candlewicking ou point de nœud, le point perlé est une broderie traditionnelle nord-américaine réalisée à la main ; elle se brode sur une toile de coton fine, au moyen d'un fil assez gros ressemblant à une mèche de bougie, ce qui lui vaut son nom (candlewick).

MÉMO

- **Fil à broder épais.**
- **Aiguille adaptée au fil et au tissu.**
- **Point de broderie candlewicking.**
- **Pied point perlé.**

Le pied point perlé comporte une large rainure sur sa semelle, plus accentuée encore que celle du pied pour broder ; son rôle est bien entendu de préserver le point perlé des frottements. Son ouverture permet une bonne visibilité pendant la couture.

Cette broderie se réalise traditionnellement ton sur ton. C'est un point volumineux et dense qui ressemble à un nœud. Il sert à dessiner des motifs, des formes, voire des lettres.

Si votre machine à coudre ne le propose pas, remplacez-le par un point ressemblant à une étoile ou encore par un point de bourdon composé de petits cercles.

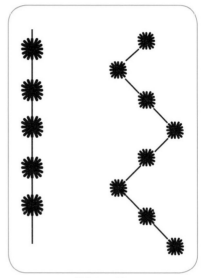

Points perlés.

Reportez le motif à broder sur le tissu au moyen d'un feutre temporaire. Piquez le point perlé en suivant le motif. Une fois la piqûre finie, il est possible de couper les fils qui relient les points perlés entre eux à l'aide de ciseaux de broderie.

Privilégiez des fils épais et mats, qui vont donner du relief au point perlé.

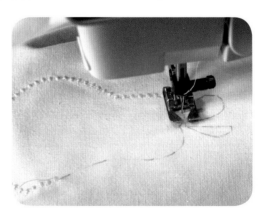

Si le tissu est très fin, placez un stabilisateur en dessous qui empêchera les points de couture de s'incruster dans le tissu et de perdre leur volume.

Une proposition moins traditionnelle du point perlé, réalisé en contraste : fil bleu ciel sur tissu bleu foncé.

Point sashiko

Le sashiko est une technique de broderie japonaise utilisée à l'origine pour rapiécer les vêtements. Aujourd'hui, ce point sert à broder et matelasser, et se confectionne traditionnellement à la main. Il se réalise avec un fil de coton blanc ou écru sur une toile indigo et dessine des motifs le plus souvent géométriques mais aussi des motifs s'inspirant de la nature.

Voici une façon de coudre à la machine un point qui ressemble au point sashiko réalisé à la main, sans toutefois l'égaler.

239

MÉMO
- **Aiguille *topstitch* (à surpiquer) adaptée au tissu.**
- **Fil à surpiquer blanc.**
- **Point droit.**
- **Pied droit ou pied multifonction.**

— — — — —
Point droit.

Placez un fil de la couleur du tissu à broder dans la canette. Prévoyez un entoilage si le tissu est fin. Sélectionnez un point droit d'au moins 3 mm de long. Augmentez la tension du fil d'aiguille si besoin : le but est que le fil de canette se voie sur l'endroit, donnant ainsi l'illusion d'un espace foncé entre chaque point de couture blanc, rappelant le motif originel (réalisation à la main).

Tracez toutes les lignes du motif à piquer sur le tissu. Piquez ligne par ligne, en cherchant les lignes les plus longues pour éviter de vous arrêter et de reprendre le travail.

À cause de la tension du fil d'aiguille, le tissu risque de se déformer malgré la présence de l'entoilage : pour éviter cela, piquez en série toutes les lignes qui sont parallèles avant de passer à d'autres.

Une autre méthode : le travail à la canette

Le travail à la canette (voir page 217) peut être une solution intéressante pour réaliser le point sashiko à la machine à coudre. Placez alors le fil à surpiquer dans la canette et le fil bleu foncé dans l'aiguille. Diminuez la tension du fil de canette et travaillez sur l'envers du tissu.

Point de bourdon

MÉMO
- **Fil à broder.**
- **Aiguille adaptée au fil et au tissu.**
- **Point de bourdon.**
- **Pied à broder.**

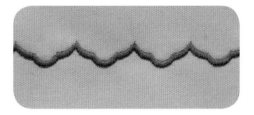

Nommé aussi point de satin, le point de bourdon est un point dense composé de points zigzag plus ou moins larges. La diversité des formes à disposition permet de créer différents points de bourdon.

Un point de bourdon réussi est dense : avec un fil fin, il faut densifier le point en diminuant la longueur du point. Avec un fil plus épais, il faudra peut-être allonger la longueur du point afin que la machine ne semble pas faire du surplace.

Points de bourdon.

Les fils ombrés et dégradés

J'aime utiliser les fils ombrés ou dégradés car ils mettent particulièrement bien en valeur le point de bourdon et apportent ainsi aisément une touche sophistiquée à un travail, même simple.

Fil ombré Poly Sheen de la marque Mettler.

Un point de bourdon décore cette trousse : un fil ombré Poly Sheen de la marque Mettler a été utilisé pour donner des reflets changeants à la broderie.

Monogrammes

Avec certaines machines, le plus souvent électroniques, vous pouvez broder des monogrammes et écrire à partir d'un alphabet préenregistré dans la machine.

En général, les monogrammes sont brodés par la machine de gauche à droite : testez le point sur une chute pour prévoir son emplacement, être sûr que la taille convient ou encore que le point est assez dense. Une fois ces paramètres vérifiés, piquez sur le support final.

Si vous brodez sur de l'éponge, du nid-d'abeilles, etc., pensez à placer un stabilisateur de surface (voir page 229) pour obtenir une broderie dense.

Pour écrire à partir de l'alphabet (ou des alphabets) que propose la machine à coudre, sélectionnez le programme Alphabet puis les lettres selon l'ordre dans lequel elles doivent apparaître. Insérez des espaces si besoin. Pensez à indiquer à la machine quand elle doit arrêter de piquer, sinon elle recommence la phrase ou le mot composé !

Un signe «ciseaux» est placé à la fin de la suite de lettres pour indiquer à la machine qu'elle doit stopper la piqûre à cet endroit.

Monogramme et lettre au piqué libre

Si la machine ne possède pas ces fonctions, brodez au piqué libre (voir page 245) les lettres de votre choix. À partir du point droit et du point zigzag, sans griffes d'entraînement, écrivez le message de votre choix, en écriture bâton ou attachée.

Broder avec un guide pour couture circulaire

Il n'est pas aisé de coudre un cercle parfaitement régulier, et encore moins à l'aide d'un point de broderie. Pour rendre cela plus facile, utilisez un guide de couture circulaire. Il permet de fixer le tissu autour d'un pivot : quand les griffes d'entraînement s'activent, elles font tourner le tissu autour de ce pivot.

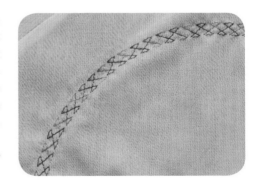

MÉMO
- **Fil à broder.**
- **Aiguille adaptée au fil et au tissu.**
- **Point fantaisie.**
- **Pied à broder et guide pour couture circulaire.**

Les guides pour couture circulaire peuvent être différents selon les marques, mais tous possèdent un pivot sur lequel on vient fixer le tissu et un axe gradué sur lequel se déplace le pivot, pour pouvoir piquer des cercles de diamètres différents.

Installez le guide pour couture circulaire sur la plaque d'aiguille de la machine à coudre : il se vise ou se clipse, selon les marques (fig. 1).

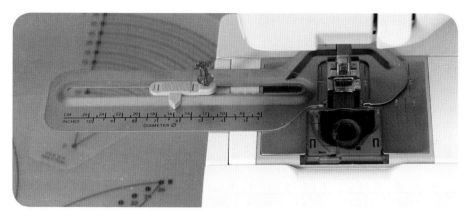

Fig. 1

Préparez le tissu qui va être piqué en plaçant un entoilage provisoire suffisamment rigide pour que le tissu ne plisse pas pendant la couture. Collez-le par exemple avec une colle temporaire en spray ou bâtissez-le au pourtour du tissu.

Un cercle à broder peut remplacer l'entoilage (voir page 229).

Utilisez les gabarits fournis avec le guide ou munissez-vous d'un compas pour dessiner les cercles que vous allez réaliser et ainsi préparer le projet (fig. 2) : le plus important est de marquer très exactement le centre de chaque cercle pour pouvoir épingler le tissu au bon endroit au moment de le placer dans le guide de couture circulaire.

Si le centre de l'arc de cercle que vous souhaitez coudre se situe en dehors du tissu, annexez à ce dernier un morceau de papier de soie ou d'entoilage tendu, pour créer un prolongement du tissu et y marquer le centre du cercle.

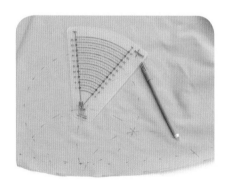

Fig. 2

Fig. 3

Au premier plan apparaît l'entoilage sur lequel le centre du cercle a été marqué au crayon de papier.

Perles, paillettes, rubans ou quilting en cercle

Vous pouvez utiliser des pieds spéciaux avec le guide de couture circulaire et ainsi poser en cercle rubans, cordons mais aussi perles et paillettes. De la même façon, utilisez ce guide pour quilter des cercles parfaits.

Installez le tissu entoilé sous le pied à broder et fixez-le sur le pivot du guide de couture circulaire. Placez le curseur du guide sur le chiffre correspondant au diamètre du cercle à coudre. Le marquage du cercle préparé se positionne alors au centre du pied presseur (fig. 4).

Choisissez un point de broderie et commencez à piquer en laissant les griffes d'entraînement faire avancer le tissu. Guidez souplement le tissu avec vos mains, ne piquez pas trop vite.

Fig. 4

Parmi tous les points de broderie, certains conviennent mieux que d'autres à l'usage du guide de couture circulaire ; en particulier, certains points qui reviennent en arrière peuvent être difficiles à réaliser.

Pour le raccord des cercles, procédez comme pour toute autre piqûre dont on veut réunir les extrémités : réduisez le point de couture en longueur pour le faire correspondre au début de la couture (voir page 232).

Réaliser des appliqués parfaitement ronds

Pour obtenir un cerle parfait, préparez l'appliqué comme expliqué page 221 : repérez le centre du cercle et position-nez-le sur le pivot. Sélectionnez un point de bourdon et piquez l'appliqué.

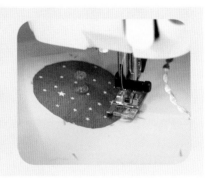

Le bas d'une robe décorée à l'aide du guide pour couture circulaire.

Broder au piqué libre

Le piqué libre est une technique de la machine à coudre pour laquelle on s'affranchit des griffes d'entraînement et du pied presseur traditionnel. La machine à coudre se résume alors à une aiguille que vous dirigez à votre guise.

Écrire au piqué libre

Pour vous familiariser avec cette technique particulière, suivez ce tutoriel vidéo qui montre comment écrire au piqué libre : http://christelleben.blogspot.fr/2013/12/pique-libre-la-machine-video.html

Préparer la couture

Installez une aiguille (à broder ou métallique) adaptée en nature au fil utilisé et assortie en taille au tissu.

Il faut pouvoir descendre les griffes d'entraînement de la machine (soit en actionnant une manette située à l'arrière de la machine à coudre, soit en sélectionnant l'option sur l'écran de la machine) ou à défaut les masquer avec une petite plaque appelée plaque à repriser.

Si vous possédez une plaque d'aiguille pour point droit (voir page 163), installez-la, mais ne sélectionnez pas le point zigzag tant qu'elle est en place !

Déplacer le tissu

Les griffes d'entraînement n'effectuant plus leur travail, c'est vous qui allez déplacer le tissu. Cela peut se faire au moyen d'un cercle à broder : veillez alors à ce que le tissu ne soit pas déformé une fois placé dans le cercle. Il doit être tendu légèrement.

On peut aussi se passer du cercle à broder, par choix ou parce que le cercle risque de marquer le tissu : placez alors un entoilage rigide, qui va donner de la tenue au tissu pendant la broderie. Ce sont vos doigts qui appuieront sur le tissu pour le déplacer.

Dessinez, reportez le motif choisi ou, au contraire, laissez faire vos mains, sans modèle.

Le cercle à broder

Il se compose de deux cercles concentriques, en bois généralement, qui s'ajustent parfaitement. Le tissu est placé sur le plus grand cercle puis enserré à l'aide du second ; une vis de serrage permet de bien fixer l'ensemble. Le tissu est maintenu et tendu, permettant une couture aisée car les mains prennent appui sur le pourtour du cercle. Vous trouverez également des cadres à broder spécialement prévus pour la broderie machine, que vous pouvez utiliser pour le piqué libre : ils tiennent parfaitement en place le tissu et permettent l'ajout de rubans ou autres passementeries, maintenus indépendamment du tissu.

Pieds pour piqué libre

Les pieds adaptés au piqué libre sont dotés d'un ressort qui leur confère une grande liberté de déplacement. Vous aurez parfois l'impression que le pied monte et descend : plus vous piquez vite, et moins le pied fait ce mouvement, pour finalement survoler le tissu. Le pied pour piqué libre s'installe sur le porte-pied de la machine à coudre.

Pied pour repriser-broder en plastique de la marque Janome.

Au contact du tissu se trouve une sorte de bague qui protège l'aiguille : cette dernière pique toujours au centre de la bague, qui maintient le tissu autour de l'aiguille et l'empêche de remonter avec l'aiguille.

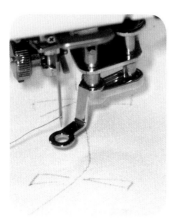

Pied fermé en métal de la marque Janome.

Le pied pour piqué libre se fixe sur le porte-pied le plus souvent au moyen d'une vis.

Pied ouvert en métal de la marque Janome.

Pied ouvert en plastique transparent de la marque Pfaff.

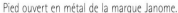

L'aiguille à ressort

Capable de remplacer le pied pour piqué libre, l'aiguille à ressort remplit la fonction de pied-de-biche. Le ressort qui entoure l'aiguille lui donne de la souplesse. Utilisez un cercle à broder avec l'aiguille à ressort, pour maintenir le tissu et éviter qu'il ne remonte avec l'aiguille.

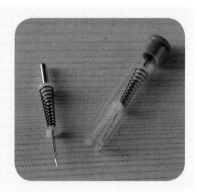

S'installer pour piquer

Si la machine à coudre dispose d'une table d'extension (voir page 15), installez-la. Sinon, aidez-vous avec des boites de hauteur adaptée, le but étant que vos avant-bras soient en appui durant la couture.

Vos épaules doivent être basses et détendues. Ne pas se crisper pendant la réalisation de la broderie sera difficile au début : pensez à vous détendre aussi souvent que possible. La position de vos mains et de votre corps est importante pour ne pas vous fatiguer et afin d'éviter les tensions musculaires.

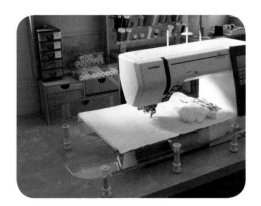

Le travail se fait ici sur la table d'extension de la machine à coudre, sans cercle à broder. Des gants pour quilting sont utilisés pour mieux agripper le tissu.

Positionnez vos mains de chaque côté du cercle à broder, qui lui est posé à plat, tissu contre la plaque d'aiguille de la machine à coudre. Ce sont votre pouce et votre index écartés qui tiennent et font bouger le cercle sous l'aiguille.

Si vous n'avez pas de cercle à broder, posez le bout de vos doigts sur le tissu, à proximité de l'aiguille, et déplacez le tissu en appuyant la pulpe de vos doigts dessus.

Les points du piqué libre

La broderie au piqué libre se fait au point droit ou au point zigzag. La machine doit être précise : vous devez pouvoir stopper la couture précisément où vous le souhaitez. Vous devez également pouvoir régler facilement la tension du fil d'aiguille : en fonction des fils décoratifs utilisés, il faut diminuer ou augmenter ce réglage pour obtenir un point de broderie réussi. Utilisez du fil de canette dans la canette et veillez à ce qu'il n'apparaisse pas sur l'endroit du travail, sinon abaissez la tension du fil d'aiguille.

Les cinq points du piqué libre sont détaillés ci-dessous : le point de reprise, le point en spirale, le point de sable, le passé plat et le passé empiétant.

Point de reprise

Le point de reprise sert à écrire, à dessiner des formes ou à les délimiter pour les remplir ultérieurement. C'est une succession de petits points droits que vous dirigez où vous le souhaitez. À l'origine, il sert à repriser les accrocs d'un vêtement, d'où son nom.

Le reprisage

Pour réparer un accroc, utilisez le point de reprise de la machine à coudre comme expliqué ci-dessus. Délimitez d'abord un rectangle assez large autour de l'accroc, pour mordre sur la partie du tissu où la trame est encore solide. Puis travaillez toute la zone en effectuant des allers-retours au point de reprise, en dessinant

Reprisage du premier accroc de cette popeline.

des lignes parallèles. Pour plus de solidité, il est possible de faire un second passage perpendiculaire aux premières lignes.

Point en spirale

Le point en spirale est similaire au point de reprise – point droit –, mais effectué selon un tracé de cercles qui s'enchaînent, voire se superposent. Ce point sert à habiller des zones : pour obtenir un remplissage plus ou moins dense, il suffit de repasser plus ou moins sur la surface déjà brodée.

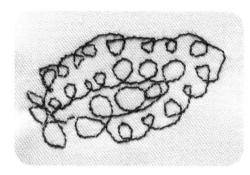

Point de sable

Ce point utilise aussi le point de reprise et crée de façon régulière des points plus gros que les autres en faisant des allers-retours au même endroit. Visuellement, il a l'aspect de gros grains de sable reliés entre eux par une ligne fine. Ce point peut aussi être obtenu à partir du point zigzag (d'une largeur de 1,5 à 2 mm).

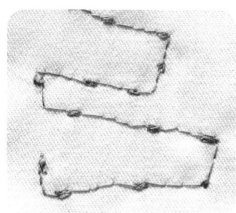

Passé plat

Ce sont des points lancés serrés les uns contre les autres le plus régulièrement possible. L'idée est de recouvrir complètement une petite surface avec des points parallèles. Pour les débutants, le point zigzag est celui qui se prête le mieux à la réalisation de ce point.

Exemple de passé plat réalisé
avec le point zigzag au piqué libre.

Passé empiétant

C'est le point utilisé pour faire de la «peinture à l'aiguille». Il permet beaucoup de créativité, aussi bien dans le dessin que dans les couleurs et les textures : vous pourrez réaliser des paysages ou des natures mortes avec cette technique. Le passé empiétant recouvre une surface de tissu ; à la différence du passé plat, il s'utilise pour de grandes surfaces à couvrir. Mélangez les coloris pour obtenir

des effets de matières, des reflets ou des textures originales.

Réalisez-le avec le point droit et déplacez alors le tissu d'avant en arrière. Utilisez aussi le point zigzag et, dans ce cas, déplacez le tissu de façon latérale.

Le cerf-volant est dessiné au point de reprise, puis rempli au point en spirale ; ses petits fanions sont réalisés au passé empiétant.

Piquer

Pour sécuriser le début et la fin de la piqûre, réalisez trois points sur place : ceci noue les fils sur l'envers du travail. Pensez à abaisser le releveur du pied presseur même si vous n'en avez pas installé : c'est la condition *sine qua non* pour que le fil d'aiguille soit tendu correctement pendant la couture.

La longueur du point (que ce soit le point droit ou le point zigzag) importe peu, puisque c'est vous qui dictez sa longueur en déplaçant le tissu. Pour le point zigzag, vous pouvez déterminer sa largeur avec le sélecteur de la machine à coudre.

Désormais, laissez libre cours à vos envies : dessinez un motif à « aiguille levée » ou reprenez un tracé que vous aurez reporté au feutre temporaire.

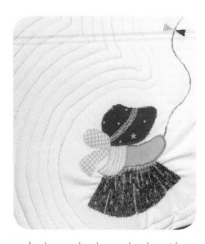

Le chapeau, les cheveux, le ruban et la manche sont réalisés en appliqué brodé au piqué libre (alternative au point de bourdon vu page 221), le chapeau est brodé au point de reprise et la robe au passé empiétant.

Quilter au piqué libre

Aussi appelé matelassage ou capitonnage, le quilting a déjà été évoqué page 89 ; il peut aussi se réaliser au piqué libre.

MÉMO

- **Fil à broder ou fil quilting.**
- **Aiguille à broder ou aiguille quilting adaptée au tissu.**
- **Point droit.**
- **Pied pour piqué libre.**
- **Molleton à introduire entre deux épaisseurs de tissu.**

Le quilting au piqué libre utilise le point de reprise et s'effectue sur un tissu garni d'ouatine (ou molleton). Cette matière nuageuse donne du relief au tissu au moment où l'aiguille vient piquer toutes les épaisseurs.

Il est possible de préparer un motif à quilter ou au contraire de serpenter sur le tissu (cela s'appelle faire des vermicelles au piqué libre).

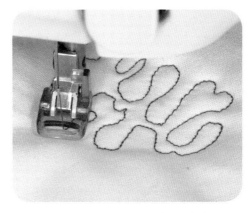

Utilisez les mêmes pieds presseurs que pour la broderie au piqué libre ; en revanche, préférez les aiguilles à quilter (voir page 89) ainsi que le fil pour quilting, plus adaptés pour la piqûre de l'ouatine.

Enfin, essayez le quilting en écho pour mettre en valeur un motif ou une partie du tissu. Utilisez le pied pour piqué libre en écho qui, grâce à ses repères rouges, vous permet de piquer des courbes à égale distance.

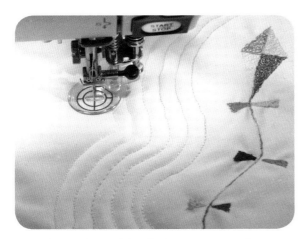

Le quilting réalise des piqûres à distance constante, même dans les angles et les arrondis, grâce à la cible du pied en écho.

Housse de coussin brodée au piqué libre, avec appliqués, et quiltée en écho (tissus Motif Personnel, fils Mettler).

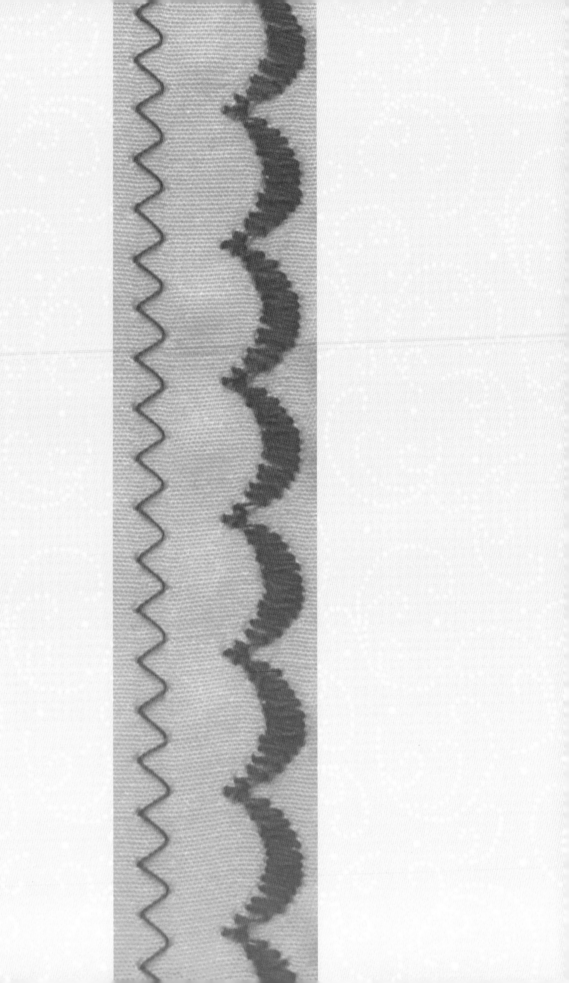

Annexes

Au quotidien avec sa machine

Installation

Tout d'abord, prenez soin de vous : que vous disposiez d'un espace dédié ou que vous utilisiez la table commune de la maison, préférez un espace lumineux, bien éclairé par la lumière du jour et par des lampes. De plus en plus de machines sont équipées de petites ampoules de lumière blanche, dite lumière du jour : elles sont plus confortables pour les yeux, qui fatiguent ainsi moins vite. Si votre machine n'en est pas pourvue, remplacez les ampoules actuelles par ces ampoules lumière du jour quand les premières auront grillé.

Octroyez-vous un espace suffisamment spacieux pour être à l'aise pour coudre ; faites attention à votre position pour prévenir les douleurs dorsales. Dans le livre *Ateliers et coins couture* (éditions Eyrolles), je propose des idées et conseils pour aménager un espace adapté à vos besoins et vos envies.

Rangement

Comme n'importe quel appareil, une machine à coudre nécessite un minimum de soins. Pensez à la couvrir quand vous ne l'utilisez pas afin de la préserver de la poussière. Si elle ne possède pas d'étui ou de capot rigide, confectionnez-lui une jolie housse en tissu. Si vous le pouvez, trouvez-lui une place dans une pièce à vivre saine de la maison. À défaut, rangez-la dans un endroit sec et fermé. L'essentiel est de la préserver de l'humidité et de la poussière.

Transport

Si vous avez besoin de transporter votre machine (dans votre voiture ou à pied), placez un morceau de tissu sous le pied presseur et abaissez-le. Couvrez la machine avec son capot ou sa housse. Si vous possédez sa valise de transport, utilisez-la.

En cas d'expédition ou si vous devez la confier aux services d'un transporteur, utilisez son carton d'origine et surtout les blocs de polystyrène qui permettent de la caler dans le carton : le but est que la machine ne bouge pas pendant le transport et qu'elle soit protégée au maximum.

Nettoyage

Il est nécessaire de débarrasser régulièrement la machine à coudre des poussières issues des tissus que vous cousez. Plus ou moins rapidement en fonction de votre rythme de couture et des types de tissus que vous utilisez, des résidus de textile se glissent à l'intérieur de la machine à coudre pendant la couture, par les ouvertures des griffes d'entraînement, et restent sous la plaque d'aiguille. Cette poussière se colle aussi au porte-pied de la machine à coudre, mais de façon moins dense, donc moins gênante. En revanche, sous la plaque d'aiguille les poussières s'accumulent et peuvent provoquer des blocages ou entraver le bon fonctionnement de la machine à coudre.

Régulièrement – par exemple à chaque nouveau projet –, soulevez la plaque d'aiguille après avoir éteint la machine à coudre : soit la plaque se dévisse, soit elle se déclipse (vous trouverez comment procéder dans la notice d'utilisation de la machine à coudre).

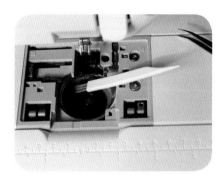

Pour faciliter cette étape, enlevez le pied presseur et l'aiguille. Une fois la plaque retirée, dégagez la canette et le boîtier de canette. Au moyen de la brosse fournie avec votre machine à coudre ou d'un pinceau souple et d'un chiffon doux, nettoyez l'intérieur du boîtier de canette ainsi que le logement du boîtier. Avec une pince brucelles, retirez les éventuels fils restés coincés sous la plaque d'aiguille.

Nettoyez également les griffes d'entraînement et le mécanisme du coupe-fil si votre machine à coudre en possède un. Vous pouvez utiliser un aspirateur si les résidus sont importants, mais évitez de souffler dedans : votre souffle contient de l'humidité et cette dernière n'est guère appréciée par les mécanismes des machines.

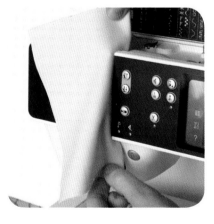

Réinstallez les pièces dans l'ordre inverse du démontage et fixez correctement la plaque d'aiguille à sa place.

Nettoyez régulièrement le disque de tension du fil d'aiguille en passant verticalement un chiffon doux et sec (et propre !) dans la fente du disque (pensez à relever le pied presseur, pour que le disque de tension soit ouvert).

255

Pour nettoyer la partie en plastique et l'écran de la machine, utilisez un chiffon microfibre sec ; afin d'effacer d'éventuelles traces de gras ou de colle, imbibez-le d'essence F.

Lubrification

Désormais, beaucoup de machines à coudre sont autolubrifiantes : elles n'ont donc pas besoin d'être huilées par vous ; la notice vous indique si votre machine nécessite d'être huilée par vos soins ou non.

Si votre machine doit être lubrifiée manuellement, vous trouverez un petit flacon d'huile transparente dans ses accessoires. Seules les pièces en métal sont à entretenir. En général, il faut huiler la barre à aiguille, située dans la continuité du porte-pied. Sur les machines mécaniques à canette verticale, une goutte d'huile dans le mécanisme du logement de canette fait le plus grand bien à la machine et la rend plus silencieuse. La notice vous indiquera peut-être une liste de points situés sur la plaque d'aiguille : il faut déposer une goutte d'huile dans chaque ouverture et essuyer l'excédent avec un chiffon. À chaque fois que vous placez une goutte d'huile, actionnez le volant pour répartir l'huile dans les mécanismes de la machine. Une fois la machine huilée, cousez une chute de tissu : l'excédent d'huile s'y déposera et ne viendra pas gâcher votre prochain projet.

Réglage

Sur plusieurs machines électroniques, vous trouverez un sélecteur d'équilibrage des points. Dans certaines conditions de couture, le point que vous avez choisi est déformé (en général ceci concerne surtout les points fantaisie ou les boutonnières) : soit il est comprimé, soit au contraire il est trop lâche. Le sélecteur est en position neutre : tournez-le vers le « + » pour densifier le point de couture et vers le « − », pour le rendre moins dense.

Ce motif est déséquilibré : le raccord avec la tige de la feuille est décalé.

En utilisant l'équilibre du point de couture, vous pouvez rectifier et obtenir un point correctement dessiné.

Solutions aux problèmes les plus fréquents

Vérifications de base

Un problème avec votre machine à coudre ? Suivez cette liste courte et simple pour comprendre le pourquoi d'un point de couture qui ne se fait pas ou qui boucle sur l'envers, ou bien du fil d'aiguille qui casse :

1. Si la machine est électronique, éteignez-la puis rallumez-la, ce redémarrage peut être salutaire. Dans le cas contraire, passez à l'étape suivante !

2. Désenfilez la machine et retirez bobine et canette. Réenfilez les deux et faites un test de couture. Vérifiez que la bobine est correctement bobinée (voir page 46). Si le problème n'est pas résolu, passez à l'étape suivante.

3. Changez l'aiguille, en veillant à en choisir une neuve et adaptée en taille comme en nature à votre projet. S'il n'y a toujours pas d'amélioration, passez à l'étape 4.

4. Échangez le fil d'aiguille pour un fil de meilleure qualité, c'est-à-dire moins pelucheux et plus régulier (voir page 36). Si cela ne fonctionne toujours pas, passez à l'étape suivante.

5. Nettoyez la machine à coudre, en particulier l'emplacement de la canette (comme vu plus haut).

Diagnostic des problèmes rencontrés

Voici un petit guide de dépannage. Ceci dit, si vous avez suivi les indications données dans cet ouvrage pour chaque technique, vous devriez n'avoir que peu recours à ces conseils.

La machine à coudre

La machine ne pique pas : vérifiez les branchements électriques, puis vérifiez que la machine ne dispose pas d'un système de sécurité : quand un volet ou un capot n'est pas bien refermé, la machine ne fonctionne pas. Pensez aussi à vérifier que le bobineur de canette n'est pas en position «canette».

La machine est bruyante : nettoyez-la et huilez-la ; faites-la réviser si le bruit est apparu soudainement.

Le fil

Il casse :

– Vérifiez qu'il se déroule souplement et régulièrement depuis la bobine, sans accroc… Placez un bloque-bobine ou un filet si besoin, pour aider au bon déroulement du fil.

– Si la tension du fil d'aiguille est trop forte, elle peut faire casser le fil.

– Vérifiez la qualité du fil : s'il est trop pelucheux, il finit par casser en créant un amas de matière au niveau du chas de l'aiguille.

Le fil fait des nœuds au-dessus du chas de l'aiguille : soit l'aiguille est trop petite pour le fil, soit le fil est de mauvaise qualité. Changez l'aiguille ou le fil.

L'aiguille

Elle casse :

– Est-elle bien insérée dans le porte-aiguille ? Sa vis de fixation est-elle suffisamment serrée ? Remettez en place l'aiguille, c'est-à-dire le plus haut possible, et serrez à fond la vis de serrage.

– L'aiguille est trop fine pour le tissu à coudre : prenez une aiguille d'une taille au-dessus.

– Le pied presseur ne convient pas au point de couture sélectionné et l'aiguille a percuté le pied ? Changez le pied presseur ou le point de couture.

L'aiguille se tord pendant la couture :

– Utilisez-vous une canette adaptée à votre machine ? Si besoin, changez-la pour une canette assortie au modèle de votre machine. Toutes les canettes n'ont pas les mêmes dimensions.

– La tension du fil d'aiguille est trop forte ou le fil est mal enfilé : le fil tire sur le chas et fait plier l'aiguille. Réenfilez le fil d'aiguille et baissez sa tension.

– L'aiguille est trop fine pour le tissu cousu : choisissez une taille d'aiguille supérieure.

Le point de couture

Il est irrégulier : si le pied presseur doit brusquement gérer des épaisseurs différentes, aidez-le avec une plaque élévatrice (voir page 173). S'il s'agit d'un point fantaisie, vérifiez dans la notice de la machine que vous utilisez le bon pied presseur.

Les points sont lâches : diminuez la longueur du point, puis si besoin la tension du fil d'aiguille.

Les points sautent (fig. 1), l'aiguille est le plus souvent en cause :

– soit la nature de l'aiguille ne convient pas à votre projet (par exemple vous utilisez une aiguille jersey pour coudre une popeline) ;

– soit l'aiguille est usée et son extrémité est émoussée : l'aiguille n'attrape pas le fil de canette et le point saute ;

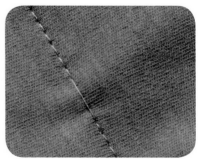

Fig. 1

– enfin la cause peut être un fil d'aiguille mal enfilé ou qui ne convient pas à l'aiguille choisie : accordez l'aiguille au fil que vous utilisez.

Le point présente de grandes boucles sur l'envers (fig. 2) : réenfilez d'abord la canette, puis le fil d'aiguille. Si cela ne change rien, remplacez l'aiguille par une neuve ou par une aiguille mieux appropriée au tissu cousu. Enfin, nettoyez le logement de la canette.

Le tissu

Il fronce sous la couture (fig. 3) : la tension du fil d'aiguille est trop forte ou la pression du pied presseur est trop élevée. Diminuez d'abord la première, puis, si besoin, la seconde.

Le fil se voit sur l'endroit quand la couture est ouverte : les deux pièces de tissu ne sont pas correctement assemblées et le fil de la couture apparait. La couture est trop lâche, il faut alors augmenter la tension du fil d'aiguille.

Le tissu n'avance pas : vérifiez que les griffes d'entraînement sont en position haute, puis que la pression du pied presseur est suffisante. Pensez aussi à sélectionner une longueur de point supérieure à 0,5 mm : sur 0, le tissu n'avance pas ! Éventuellement, utilisez un pied Téflon pour faciliter l'avancement du tissu ou le double entraînement pour aider la couture.

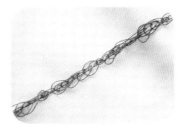

Fig. 2

Fig. 3

259

Le tissu glisse sous la plaque d'aiguille et la machine à coudre n'avance plus : le tissu n'est pas correctement entraîné, vous pouvez augmenter la pression du pied presseur ou glisser un entoilage temporaire sous le tissu pour améliorer l'avancement de celui-ci.

Si vous piquez uniquement le point droit, utilisez un pied point droit et la plaque pour point droit (voir page 163) : ainsi le tissu ne pourra pas disparaître entre les griffes d'entraînement. Utilisez le pied point droit et la plaque d'aiguille correspondante si vous les possédez.

La couture est décalée et les différentes épaisseurs de tissu n'avancent pas au même rythme : utilisez le double entraînement ou le pied double entraînement (ou encore le pied rouleau si le tissu le permet) pour déplacer toutes les couches de tissu à la même vitesse.

Le tissu présente des trous là où le point de couture est piqué : l'aiguille est émoussée, car usée ou bien tordue et elle abîme le tissu à chaque perforation. Changez-la pour une aiguille neuve, adaptée en taille à l'épaisseur du tissu.

Récapitulatif des points de couture

Les points de base

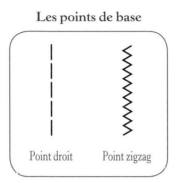

Point droit   Point zigzag

Les points utilitaires

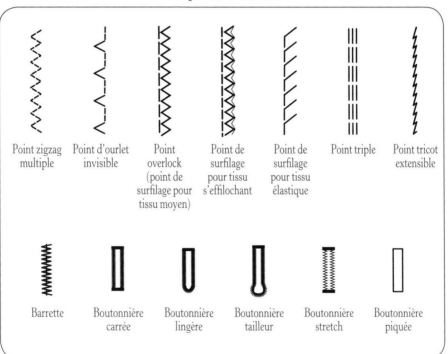

Point zigzag multiple   Point d'ourlet invisible   Point overlock (point de surfilage pour tissu moyen)   Point de surfilage pour tissu s'effilochant   Point de surfilage pour tissu élastique   Point triple   Point tricot extensible

Barrette   Boutonnière carrée   Boutonnière lingère   Boutonnière tailleur   Boutonnière stretch   Boutonnière piquée

Les points décoratifs

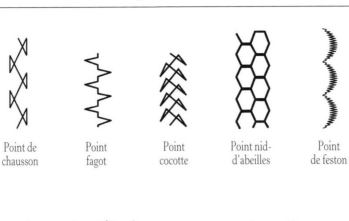

Point de
chausson

Point
fagot

Point
cocotte

Point nid-
d'abeilles

Point
de feston

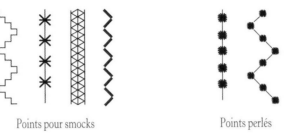

Points pour smocks

Points perlés

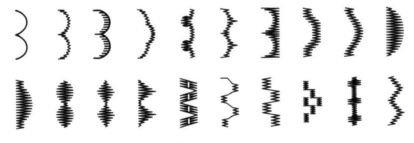

Points de bourdon

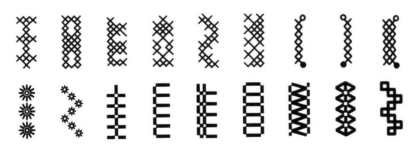

Points à jour

Récapitulatif des pieds presseurs

Les pieds de base

Pied point droit

Pied multifonction

Les pieds techniques

Matières spéciales

Pied rouleau

Pied Téflon

Pied double
entraînement

Assemblage

Pied bord droit
à double niveau

Pied pour surpiqûre
à double niveau

Pied pour piqûre
dans la couture

Pied pour piqûre dans
la couture transparent
(ou pied quilting)

Pied pour élastique

Finition des bords

Pied surjet

Pied pour ourlet
invisible

Pied pour assembler
et plier les bords

Pied pose-biais

Pied pose-biais
réglable

Pied ourleur

Systèmes de fermeture

Pied pour
boutonnière
manuelle

Pied pour
boutonnière
automatique

Pied pour bouton

Pied pour fermeture
Éclair

Pied pour fermeture
invisible

Les pieds pour la décoration

Décoration plis et fronces

Pied fronceur

Pied plisseur

Pied pour plis nervure

Décoration passementerie

Pied pour passepoil

Pied pour cordonnet

Pied pour liseré

Pied pour ruban et paillettes

Pied pour perles

Broderie et appliqués

Pied pour appliqué

Pied pour point passé (ou pied bourdon)

Pied pour point perlé

Pied pour point fantaisie

Pied guide bordure

Pied pour piqué libre

263

Patchwork

Pied patchwork 1/4 d'*inch*

Pied patchwork transparent

Pied pour piqûre dans la couture transparent (ou pied quilting)

Aux éditions Eyrolles

Du même auteur

C. Beneytout, *Guide de la machine à broder*, 2018
C. Beneytout et S. Guernier, *Guide de la couture à la surjeteuse et à la recouvreuse*, 2ᵉ éd., 2018
C. Beneytout, *Couture homme casual wear*, 2018
C. Beneytout, *Guide des tissus par projets de couture*, 2015
C. Beneytout, *Ateliers et coins couture*, 2012

Guides de couture

J. Fallon, *Je sais coudre mes vêtements, toutes les techniques du report du patron aux finitions*, 2018
S. Czachor, *La couture de la maille et des tissus extensibles*, 2017

Modèles de couture

A. Benilan, *Jersey pour toutes*, 2017
A. Le Grand, *Ma garde-robe de grossesse, 20 modèles à coudre tout de chic et de douceur*, 2017
N. Martin & N. Regan, *Vestiaire enchanté, 17 modèles enfant de 1 à 5 ans*, 2017
D. van Ryseghem, *La ronde des tabliers, modèles homme, femme, enfant*, 2017
A. Benilan, *Looks à coudre, 25 vêtements et accessoires avec patrons à taille réelle*, 2015
A. Benilan, *Vestiaire scandinave, 24 modèles à coudre chics et essentiels*, 2015
C. Haynes, *Coutures : jupes et robes faciles, 15 basiques pour toute les occasions*, 2015
A. De Pompignan et S. Valantoine, *Tenues d'enfants d'honneur, 35 modèles à coudre pour créer son cortège*, 2015

Patronnage et modélisme

T. Gilewska, *Patrons de base sur mesure*, 2019
S. Valantoine, *Le moulage du buste*, 2019
S. Espargilhé, *La veste tailleur homme, guide de montage traditionnel*, 2018
D. Page Coffin, *La chemise, guide de conception, construction et patronnage*, 2018
J. Cole, *Le patronnage pour la maille et les tissus extensibles*, 2018
S. Veblen, *L'ajustement des patrons de couture, toutes morphologies*, 2016
J. Barnfield & A. Richards, *Couture : créer ses patrons*, 2013
T. Gilewska, *Habiller toutes les morphologies*, 2013
T. Nakamichi, *Pattern magic, La magie du patronnage, matières extensibles*, 2012
T. Nakamichi, *Pattern magic, La magie du patronnage*, vol. 2, 2011
T. Nakamichi, *Pattern magic, La magie du patronnage*, vol. 1, 2011
T. Gilewska, *Robes de mariées*, 2010

Collection « Le modélisme de mode »

T. Gilewska, *Coupe à plat : les bases*, vol. 1, 2ᵉ éd. 2015
T. Gilewska, *Coupe à plat : les transformations*, vol. 2, 2ᵉ éd. 2015
T. Gilewska, *Moulage : les bases*, vol. 3, 2ᵉ éd. 2015
T. Gilewska, *La retouche des vêtements*, vol. 7, 2ᵉ éd. 2015
T. Gilewska, *Couture : montage et finition des vêtements*, vol. 4, 2ᵉ éd. 2014
T. Gilewska, *Coupe à plat Grandes tailles*, vol. 6, 2014
T. Gilewska, *Coupe à plat et montage Homme*, vol. 5, 2013

Cinquième tirage 2019

Imprimé en Slovénie par DZS
Dépôt légal : février 2019
Cet ouvrage est imprimé sur du papier couché demi-mat 135 g,
papier issu de forêts gérées durablement.